電球でつくる

ボトルシップ

横山孝幸

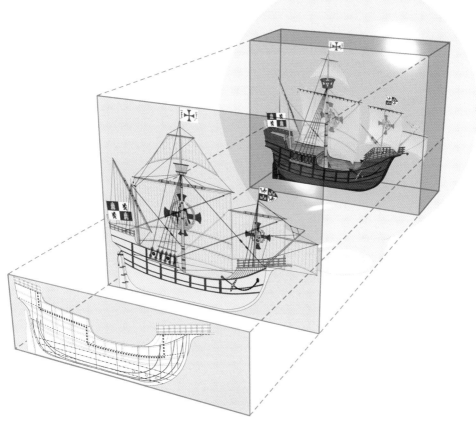

誠文堂新光社

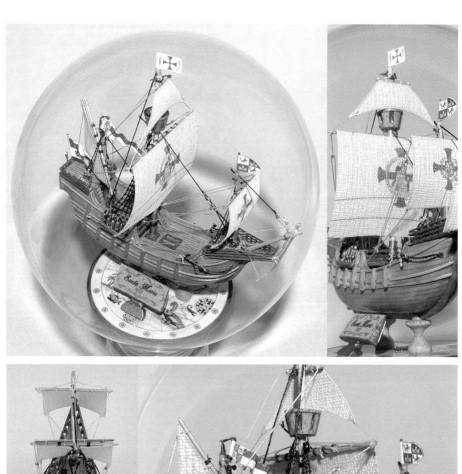

写真1 サンタ・マリア「Santa Maria」

写真2 ソレイユ・ロワイヤル 「Soleil Royal」

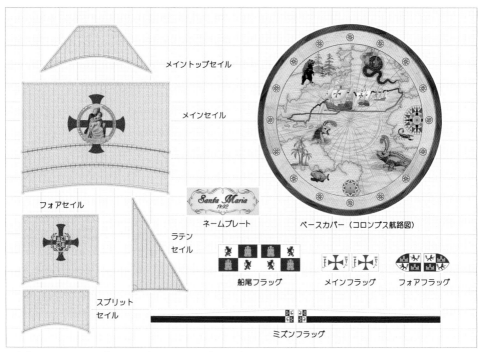

メイントップセイル

メインセイル

フォアセイル

ラテン
セイル

ネームプレート

ベースカバー（コロンブス航路図）

船尾フラッグ　　　メインフラッグ　フォアフラッグ

スプリット
セイル

ミズンフラッグ

写真 3 サンタ・マリア　帆・フラッグ・ベースカバー（原寸大）

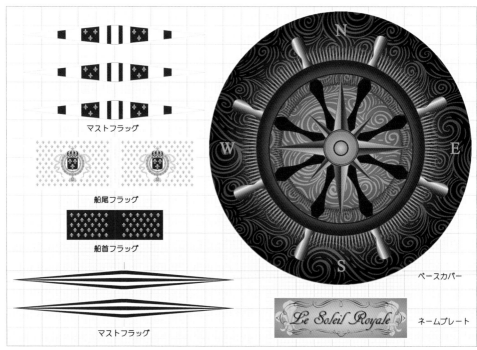

マストフラッグ

船尾フラッグ

船首フラッグ

マストフラッグ

ベースカバー

ネームプレート

写真 4 ソレイユ・ロワイヤル　フラッグ・ベースカバー（原寸大）

はじめに

　作ることは楽しいことです。好きなモノを作っていると、ついつい時間を忘れて没頭してしまいますが、自分なりに工夫して納得いく作品ができれば、この上ない達成感を味わうことができます。

　モノを作ることが大好きで、特に細かい作業が得意という方に、是非ともお勧めしたいのがボトルシップ作りです。透明なガラス容器に帆船のミニチュア模型を収めたボトルシップは、インテリアとしても身の回りに彩りを添えることができます。

　本書は、ボトルシップを初めて作るという方のために、帆船の歴史と基本的な構造を解説し、だれでも失敗なく作れるツールと製作方法を紹介しています。さらに人目を引く精緻なボトルシップを作りたい方のために、小さいながらもリアリティのある帆船を作るノウハウを詳細に紹介しています。本書を手にとって頂いた方が、ボトルシップに興味をもち、作る喜びを感じて趣味にして頂ければ幸いです。

目次

基　本　編

制作：松島孝人（T&K）

1. ボトルシップの魅力

ボトルシップは、その昔ある船乗りが航海の途中に酒ビンと船にある材料で作ったのが始まりで、その後船乗りの間に広まったと言われています。その真偽の程は定かではありませんが、確認できる最古のボトルシップは、ドイツ・リューベックのホルステン門博物館に収蔵されている1784年製のポルトガル式3本マストの帆船で、卵型の吹きガラス容器に収納されており、プロのモデルビルダーが船主用に作ったものと考えられています（図1-1）。

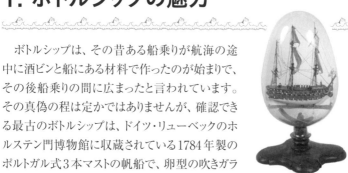

図1-1
最古のボトルシップ
画像：Fotoarchiv
Holstentor Museum

ボトルシップ第1号

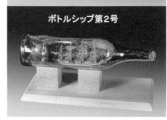

ボトルシップ第2号

日本で現存が確認できるボトルシップは、大正初期に第一次世界大戦の中国・青島の戦いで捕虜になったドイツ人が、習志野の収容所で作って地元の人にプレゼントしたボトルシップで、図1-2の二体が人々の交流の記念として習志野市の有形文化財に指定され保存されています。

図1-2　大正時代のボトルシップ
画像：習志野市教育委員会寄託資料

一方、世界最大と思われるボトルシップは、イギリスのネルソン提督の旗艦ビクトリー号の1/30モデルで、長さ4.7mのガラス瓶に入れられています。2010年にネルソン提督の銅像が見下ろすイギリス・トラファルガー広場に展示された後、現在はグリニッジの国立海洋博物館に設置され（図1-3）、Googleのストリートビューでも見ることができます。Greenwich Park(51.48032,-0.005312)

図1-3　最大のボトルシップ
画像：Milton Cogheil / Alamy Stock Photo

　透明なガラス容器の中に帆船の模型が入っているボトルシップを一度は目にしたことがあると思いますが、まず「どうやって中に入れたの?」と不思議に思うのではないでしょうか。精緻に作られたボトルシップは飾り物としても見る人を楽しませてくれますが、作る側も既製のキットやプラモデルでは味わえないモノづくりの楽しさを味わうことができます。以下に、私なりに、趣味としてのボトルシップ作りの魅力を挙げてみましたので、是非一度ご自分で試して味わってみてください。

○ボトルネックを克服する喜び

　ボトルネックは直訳すれば「瓶の首」ですが、「目的の遂行・達成を困難にさせる問題や障害」という意味で使われます。ボトルシップは帆船模型をガラス容器の小さな口から中に入れるので、まさしくボトルネックへの挑戦です。さまざまな工夫やアイデアを駆使して、極力大きな船を入れるところに、ボトルシップ作りの醍醐味があり、思い通りに完成したときの達成感はひとしおです。

○ミニチュアの作品を極める楽しさ

　日本人は古来、小さいものに美を見出しており、その感性が盆栽という文化を育てました。ドールハウスやジオラマなどのミニチュア作品を見て「美しい」「楽しい」と思う気持ちに通じるものがあります。本書では、単なるボトルシップの製作ではなく、ミニチュアの帆船をできるかぎりリアリティーを追求して精緻に作ることを目指しています。作りたいものを、自分の力と工夫で作ることを主眼に素材から手作りするので、細かな作業が得意な方は、その技量を如何なく発揮でき、手作りの楽しさを満喫できます。

○大型帆船模型と比べて手軽に楽しめます

　かつて東京の銀座伊東屋の帆船模型売り場がまだ営業していた時の話ですが、お店の入り口近くで帆船用の木材を物色していると、後ろのほうから年配の帆船愛好家と店長の会話が聞こえてきました。愛好家曰く「前作は3年かかったけど、今度の船は生きているうちに完成できるかな……」。趣味としての木製帆船模型はキングオブホビーとも言われ、完成まで年単位の時間と熟練した製作技術が必要です。その点ボトルシップは、せいぜい月単位で完成できる手軽さがあります。また大型帆船模型は、よほどの豪邸でないとショーケースに入れていくつも飾ることは難しいですが、ボトルシップは最初からケース付きで、本棚にも並べられます。材料費も格段に安く、手ごろな趣味と言えるのではないでしょうか。

2. 船の歴史

　ボトルシップの作り方を説明する前に、船の歴史を簡単に振り返ってみます。製作する船の選定や情報収集の参考にしてください。

2.1　人類は5万年前に船で海を渡った

　20万年前にアフリカで誕生した現生人類（ホモ・サピエンス）は、氷河期に陸地伝いに世界に拡散していきました。しかし、オーストラリア大陸は約6000万年前から他の大陸と陸続きになったことがないにもかかわらず、約5万年前に現生人類が進出しています。この人々はアボリジニの祖先と言われていて、いかだや丸木舟などによって東南アジアから海を渡ったものと考えられています。

2.2　エジプトの「太陽の船」は現存する最古の船

　紀元前3000年から紀元前2000年頃に栄えた四大文明は、いずれも大河の近くで発展しました。これは生活や農耕に必要な水が得やすいことに加え、河川自体が天然の交通路として機能し、船による流域の人・モノ・情報の交流が文明の発展に大きな役割を果たしたことも見逃せません。特に古代エジプトでは横帆を備えた帆船がナイル川流域や近海の交易に活用されており、その様子は壁画にも残されています。

　また、クフ王（紀元前2500年頃）のピラミッド脇からは、レバノン杉で作られた全長42.3m、幅5.6mの「太陽の船」が発掘されており、現存する最古の木造船として修復・展示されています（**図2-1**）。有名なツタンカーメン（紀元前1300年頃）の王墓にも約35艘の船の模型が副葬品として納められており、当時いかに船が重要な役割を演じていたかがわかります。

図2-1　太陽の船
画像：ONEWORLD PICTURE / Alamy Stock Photo

2.3　地中海の覇権を争ったフェニキア・ギリシャ・ローマ

　地中海は古くから海上活動が盛んな地域です。フェニキア人は歴史上初の海洋民族で、紀元前12世紀頃から東地中海で台頭し、シチリアやカルタゴなどに交易基地として植民市を建設しながら、地中海全域に通商路を拡大していきました。しかし、ギリシャの進出やローマとの三度のポエニ戦争の敗北により、その勢力は後退しました。

　ギリシャは、平野が乏しく入り組んだ海岸線を持っているため、紀元前8世紀頃からポリスの発展と共に、地中海全域で植民活動・交易活動を積極的に行いました。紀元前5世紀前半、エーゲ海へ進出を図ったペルシア帝国とギリシャの間でペルシア戦争が開始され、サラミスの海戦など約50年にわたる戦いを経てギリシャがこれに勝利し、海洋貿易国家として成長しました。現在でもギリシャは世界有数の船舶保有量を誇っていますが、マルセイユ、ナポリ、シラクサなどは、当時ギリシャが建設した植民市が現在まで存続している都市です。

　ローマはイタリア中部内陸のテヴェレ河畔で発展した都市国家で、当初は海洋国家ではありませんでした。しかし、イタリア半島統一後にシチリアの帰属をめぐってカルタゴと対立すると、紀元前264年から紀元前146年まで三度戦われたポエニ戦争で次第に軍船を増強し、カルタゴを滅亡させて地中海の制海権を手に入れました。その後もアレクサンドロス大王が残したヘレニズム世界に勢力を拡大し、紀元前31年のアクティウムの海戦でプトレマイオス朝エジプトを滅亡させると、以後ローマ帝国が地中海世界全域を支配下に置きました。

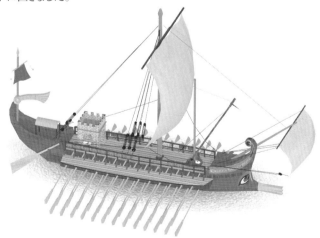

図2-2　ローマのガレー船

以上が古代地中海の覇権をめぐる海洋国家興亡の歴史です。この間の船の発展を見るとフェニキアとギリシャが商船・軍船の造船術や航海術を確立し、それをローマが継承した形になっています。商船は1本マストに四角い帆を張った帆走専用の木造船で、船体の長さと幅の比が4対1ほどのずんぐりとした形状が一般的でした。

　一方、軍船は**ガレー船（Garrey）**とよばれる細長い船が使われました（**図2-2**）。当時の海戦は、石弓や火矢といった飛び道具もありましたが、もっぱら海上での戦闘は船首に取り付けた衝角（しょうかく）での敵船への体当たりや、敵船に乗り移って白兵戦を行う接近戦が主体でした。このためガレー船は、非戦闘時には帆走もしましたが、戦闘時は無風・逆風状態での走行や、加速・減速・回頭（かいとう）などの機動性を重視して、両舷の複数の漕ぎ手によるオールでの櫂走（かいそう）で戦いました。ギリシャやローマが海戦で優位に立ったのは、漕ぎ手を階層的に配置して機動性を高めた三段櫂船や五段櫂船を多数保有していたからです。ガレー船は、風が不安定で弱い地中海では中世のレパントの海戦（1571年）まで軍船として使われました。

　古代地中海の項の最後に、ローマ時代の想像を超える巨船について触れておきます。イタリアでは、かつて第3代ローマ皇帝カリグラ（在位37年-41年）が「2隻の豪華巨大船を建造し、女神ディアーナにささげるために皇帝の別荘があったローマ近郊のネミ湖に沈めた」という話が伝えられていました。ムッソリーニの指示で1927年から始まった本格的な発掘調査の結果、言い伝え通り2隻の木造船が湖底から姿を現しました（**図2-3**）。1隻目は長さ70m、幅20m、2隻目はこれより少し大きくて長さ73m、幅24mでした。これは、18世紀の最大級の木造船に匹敵する大きさです。発掘された船は復元のために建てられた博物館に保管されましたが、残念なことに第二次世界大戦の戦火で消失してしまいました。現在は発掘当時の写真と重さ300kgの最古の鉄製碇などの備品が残されているのみです。

図2-3　ネミ湖の巨大船
画像：agefotostock / Alamy Stock Photo

2.4　高性能船でヨーロッパを席捲したバイキング

　バイキングは800年からから約250年の間、西ヨーロッパ沿岸部を席捲した北欧の武装集団ですが、実際は交易を生業にしていた人々であったようです。その活動を支えたのが**バイキング船**で、多くの発掘例があり、戦闘用から貨物用まで用途ごとにさまざまな大きさのものが作られたことが分かっています。なかでもノルウェーのバイキング時代の墳丘墓から発掘されたオーセベリ船は、オーク材で作られた全長21.5m幅5.1mのロングシップで、繊細な木彫装飾が施された流麗な姿から儀式用の船と考えられています。同じくオスロ近郊で発掘されたゴックスタッド船は北海の荒れた海にも耐えうる構造を有しており、バイキング船の最高傑作といわれています。いずれの船もオスロのバイキング博物館に修復・展示されています。

　バイキング船に共通する特徴は、船首と船尾が対称形状で先端が反り返っており、旋回することなく前後どちらにも即座に方向転換することができました（**図2−4**）。また喫水が浅いのでスピードを出せるうえ、浅瀬や河川にも容易に侵入することができました。船体はオーク材の板を重ねた**鎧張り**（**Clinker built**）で、船首から船尾まで船底を縦通する竜骨（キール）を備えており、横波への安定性が高く軽量かつ堅牢な造りになっていました。高性能な船と卓越した航海術によってバイキング船は外洋も航海でき、1000年前後にはアイスランドやグリーンランドの島伝いにカナダのニューファンドランド島に到達していた痕跡が残されています。

図2−4　バイキング船

2.5 「太陽が沈まぬ帝国」を築いた外洋帆船

　15世紀末からの大航海時代は、アラブや中国の商人が支配していた海のシルクロードによるインド・中国との交易に、ヨーロッパ勢力が参入したことがきっかけです。「船乗りシンドバッド」が活躍していた時代、アラブの船は、横帆ではなく縦帆の一種の三角帆を用いていました。三角帆は、今日のヨットのように、逆風でも向きを変えてジグザグに前進できるメリットがあります。この三角帆が9世紀以降のイスラム勢力のヨーロッパ進出でキリスト教圏にも伝わり、ヴェネチアなどのイタリアの海洋都市国家の船に使われたため、「ラテンセイル」とよばれるようになりました。

　一方、北ヨーロッパでは、13世紀以降商業都市が結成したハンザ同盟が、北海とバルト海沿岸の貿易を独占していました。交易に用いられた商船は**コグ船**（Cogs）と呼ばれ、積載量を増やすために平底の丸い船体で、バイキング船の流れを汲んだ鎧張りで作られていましたが、バイキング船よりは重構造で頑丈でした。舵もそれまでの舷側舵から船尾舵に切り替わり、船首と船尾には海賊などに備えて戦闘用の塔楼が設けられていました（**図2-5**）。1本マストの横帆のみであったため、風上に帆走することはできませんでしたが、横風に対しては帆の角度を変えて、いわゆる開き走りが可能でした。

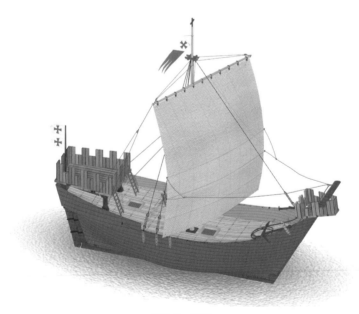

図2-5　コグ船

　14世紀になると、交易の拡大により、それまで独自に発達してきた北ヨーロッパの船と地中海の船の技術が混ざり合い、両者の長所を取り入れた新形式の船が生まれました。そのひとつはポルトガルが改良した**キャラベル船**（Caravel）で、2本または3本マストにすべて三角帆が張られ、風さえあればどの方向にも進める、小型で高速な操作性の良い船でした（**図2-6**）。

　いまひとつは、同じくポルトガルによって外洋を航海するために開発された**キャラック船**（Carrack）です。キャラック船はこれまでの船に比べると大型で、積載量を上げるために外板は大型化に有利な**平張り**（Carvel built）に、船首船尾には高波のブロックや近接戦を想定して高い船首楼と船尾楼が設けられており、後には大砲も設置されるようになりました。船の中央のマストは追い風で最大の推進力が得られる横帆ですが、船尾近くのマストは操舵性に優れる三角帆が張られていることが特徴です。さらにその改良型として、船首近くに3本目のマストを立てて横帆を張り、船首から斜め前方に伸びた棒、即ち**バウスプリット**（Bowsprit）を設け、そこに横帆を装備した形が基本形になりました（**図2-7**）。

図2-6　キャラベル船（ニーニャ号）

こうして外洋航海に耐えうる帆船と、中国からもたらされた羅針盤を得て、大航海時代が到来しました。1492年コロンブスは、西に進めば黄金の国ジパングからさらにインドに到達できると信じ、キャラック船の旗艦サンタ・マリア号にキャラベル船のピンタ号、ニーニャ号をひきつれて大西洋を西に進み、西インド諸島に到達して新大陸発見の口火をきりました。それ以降、新領土獲得を目指した探索が盛んに行われた結果、世界を二分したのはポルトガルとスペインでした。

　ポルトガルは1498年にバスコ・ダ・ガマがアフリカ喜望峰回りのインド航路を開拓してインド洋の覇権を握り、日本の長崎まで貿易圏を広げました。また航路開拓の過程で1500年にブラジルに到達し、これを領有しました。

　一方スペインはコロンブスに続きアメリゴ・ヴェスプッチやマゼランなどの探検を経て、南北アメリカ大陸の広大な地域と、太平洋を越えたフィリピンを植民地にしました。さらに1580年から1640年までスペイン・ハプスブルク家がポルトガル国王を兼ねたことから、中南米、東南アジア、アフリカ大陸にまたがる「太陽が沈まぬ帝国」と言われた地球規模の帝国を支配し、繁栄を享受しました。

図2-7 キャラック船(サンタ・マリア号)

2.6　スペイン無敵艦隊を破り七つの海を制したイギリス

　16世紀、外洋を横断しての人や物の交流が盛んになると、より高速に大量の物資が運べる船の必要性が高まり、**ガレオン船**（Galleon）が登場して、欧州各国で建造されました。ガレオン船はマストが3〜4本で、キャラック船と同じく最後尾のマストは三角帆で、あとは横帆が張られていました。船体は大型化しましたが、細長く改良されて喫水も浅くスピードの出せる船でした。外見上の特徴としては、船尾は丸みを帯びず平坦で高い船尾楼を設けており、逆に船首楼は安定性を良くするために低くして、船首楼の下にガレー船の衝角に似た形状の張り出しがありました（**図2−8**）。

　ポルトガル、スペインに続いてヨーロッパ各国が海外に進出するようになると、国家間の競争が激化して武力衝突に発展することも多々ありました。このため、各国はガレオン船を軍艦として使用し、その能力を高めるよう競い合いました。艦載砲の数を増やすために、上甲板や船首楼・船尾楼だけでは足りず、船体内部に砲甲板が設けられて、船体の外壁に開けた砲門から砲撃できるようにしました。大砲の進化とあいまって、数十門の大砲を搭載できるようなったガレオン船での海戦は、軍艦同士の砲撃戦になり、さらに陸に向けた攻撃にも活用できるようになりました。

図2−8　ガレオン船（ゴールデン・ハインド号）

海外進出では後発だったイギリスは次第に海軍力を増強し、16世紀末になるとスペインと対立するようになりました。海軍提督フランシス・ドレークらの襲撃・略奪に業を煮やしたスペインは、ついにイギリス侵攻を決意し、1588年に精鋭艦を結集した無敵艦隊（アルマダ）をイギリスに向かわせました。しかし、小型船による機動力を駆使したイギリス艦隊に翻弄され、嵐にもあって大半の船を失う大敗を喫しました。これがスペインの衰退の第一歩となり、後にイギリスが「大英帝国」として繁栄するきっかけになりました。

2.7　帆船史上最強を誇った戦列艦

　17世紀にはいると海戦は艦ごとの砲撃戦から、一列に戦列を組んでの組織的な砲撃戦に変わり、主力の軍艦は**戦列艦**と呼ばれるようになりました。イギリス、オランダ、フランス、スウェーデンなどが、より大型で強力な装備を備えた戦列艦を競って開発しました。口火を切ったのはスウェーデンで、国王の「比類のない最大最強の軍艦を造れ」との命令によって、大型大砲64門を積み、豪華な装飾を施したガレオン型戦列艦ヴァーサ号（Vasa）を建造しました（**図2−9**）。しかし、重装備でトップヘビーになった同船は1626年の初航海の日に観衆の目の前で横転し沈没してしまいました。この惨事は、各国の造船技術の向上を促しました。なお、ヴァーサ号は1961年に引き上げられ、ストッ

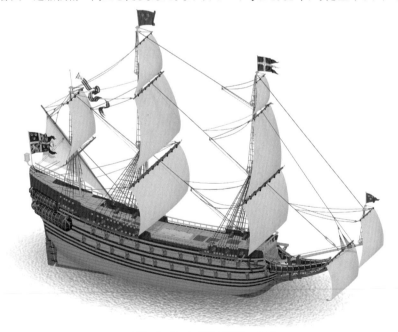

図2−9　ガレオン型戦列艦（ヴァーサ号）

クホルムのヴァーサ号博物館に展示されています。

　イギリスも1637年にチャールズ一世の命で、国の威信をかけて「海の帝王」という意味のソブリン・オブ・ザ・シー号を建造しました。全長110mで100門以上の大砲を備え、金箔で輝く彫刻で豪華に飾られた船は、オランダから「黄金の悪魔」と恐れられました。この船に対抗して、フランスも大型軍艦ラ・クローン号を建造しています。

　17世紀後半から18世紀にかけても、各国は艦隊による海戦をしばしば行ったため、引き続き戦列艦の火力強化が進められました。まず、砲撃戦の時代では無用の長物となった船首楼・船尾楼をなくして、船首から船尾まで甲板を平坦にしたため、より多くの大砲を積めるようになりました。当時は、74門艦が走攻守のバランスの取れた船として多用されました。操舵輪による舵の操作システムも導入され、操船性が格段に向上しました。帆の改善も図られ、横風や向かい風でも速度が出せるようになりました。この新しい戦列艦で最も有名な船は、ナポレオン率いるフランスとのトラファルガーの海戦（1805年）で勝利したイギリスのネルソン提督の旗艦ビクトリー号で（**図2-10**）、現在もポーツマスのドライドッグに保存され一般公開されています。

図2-10　戦列艦（ビクトリー号）

2.8　ティークリッパーの全盛と急激な衰退

　19世紀後半になると、蒸気機関を備えた大型装甲艦が建造され、戦闘でその有用性が実証されると、木造帆船の戦列艦は建造されなくなりました。一方で商船は、19世紀に帆船史上最も多くの帆走商船が建造されています。これは、蒸気船に比べて燃料の搭載や補給が必要ないため、長距離貨物輸送ではコストパフォーマンスが良かったからです。鉄製の構造材やマストの採用で建造が容易になったことや、鉄製のワイヤーの導入で操作性が改善されたことも一因です。

　アメリカのカリフォルニアやオーストラリアのゴールドラッシュの地に向かうための移動手段として発展してきた高速商業帆船はクリッパーとよばれ、外洋を高速帆走できるようにスマートな船型をしていました。これをイギリスが導入して、当時注目されていたインドや中国から紅茶を運ぶ**ティークリッパー**として活用して大幅な輸送時間の短縮を実現しました。中でもカティーサーク号（**図2-11**）とサーモピレー号のスピード競争は世間の注目を浴びて帆走商船の絶頂期を迎えました。しかし、1869年にスエズ運河が開通すると、状況は一変します。無風のスエズ運河の航行は蒸気船の独壇場となり、ティークリッパーは急速に姿を消していきました。

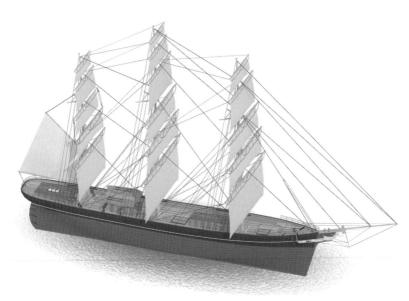

図2-11　ティークリッパー（カティーサーク号）

2.9 アメリカズカップと空飛ぶヨット

　日本に黒船が来航する2年前、1851年にロンドン万国博覧会の記念行事として行われたイギリス・ワイト島一周のヨットレースで、アメリカからただ一艘参加した2本マストに縦帆を張ったスクーナーのアメリカ号（**図2-12**）が優勝し、ビクトリア女王から贈られた銀製カップを母国に持ち帰りました。これがアメリカズカップの発端で、このカップの争奪戦が1870年に「第一回アメリカズカップ」として行われ、以来、今日まで150年以上続く世界最高峰の国際ヨットレースになっています。

　アメリカズカップは船艇が自国産でなければならないため、参加国が国の威信をかけて自国の最先端技術や応用技術を駆使したヨットでしのぎを削っており、船の構造や帆走技術の発展を牽引してきました。最新の船艇はダガーボードと呼ばれ、水中翼で海上を浮上して時速90km以上で飛ぶように走行するようになり、まさに「海のF1」と称される世界が展開しています。

図2-12　アメリカ号

3. ボトルシップの作り方

3.1 帆船の構造と各部名称

　ボトルシップは帆船の部品一つ一つを手作りするので、船の基本的な構造や特有の名称を知っておく必要があります。とは言っても本格的な木製帆船模型を作る訳ではないので、ボトルシップ作りに必要な主要部分について紹介します。

（1）船体（Hull）、マスト（Mast）、帆セイル（Sail）
　船の全体的な特徴は、船の姿を横から描いた外形図で把握できます。図3-1-1は3本マストの木造帆船の外形図の一例で、この図をもとに各部位の名称を説明します。
　船首をステム（Stem）、船尾をスターン（Stern）と呼びます。ちなみに「from stem to stern」は「全体をくまなく」という意味の英語の慣用句になります。船体はハル（Hull）で、その前方部分をバウ（Bow）といい、船底には船首から船尾まで背骨のように竜骨キール（Keel）が通っています。船の側面を右舷（Starboard）、左舷（Port）、総称して舷側（Broadside）と呼びますが、外形図の舷側には砲門（Gun port）や喫

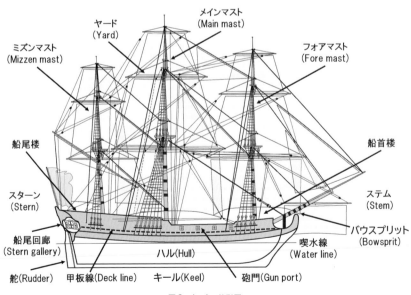

図3-1-1　外形図

水線(Water line)、甲板線(Deck line)などが示されます。

　船の上部にあって船首から船尾までの全体をカバーして船にフタをする構造の甲板を上甲板(Upper deck)といい、波の侵入をふせぐためにブルワーク(Bulwark)と呼ばれる舷側を延長した側壁で囲まれます。船首と船尾には、上甲板より高い位置に船首楼甲板(Forecastle deck)、後甲板(Quarter deck)、船尾楼甲板(Poop deck)が設けられることもあります。複数甲板の船で上甲板の下のもっとも広い甲板を主甲板(Main deck)、舷側の大砲を配置する甲板を砲甲板(Gun deck)といいます。船尾の舵ラダー(Rudder)の上方の突き出している部分は、船長室や船尾回廊スターンギャラリー(Stern gallery)が設けられ、船ごとに特徴のある装飾が施されます。

　マストは船首から順にフォアマスト(Fore mast)、メインマスト(Main mast)、ミズンマスト(Mizzen mast)です。通常、どのマストも1本の柱ではなくセクションに分かれており、それらを繋ぎ合わせて必要な強度と高さを得ています。図の例では上下方向に3つのセクションがあり、下からコース(Course)、トップ(Top)、トップゲルン(Topgallant)、四つ目がある場合はロイヤル(Royal)と呼びます。それぞれのセクションには、横帆を張る場合はヤード(Yard)が設置されます。縦帆を張る場合は上部の支持にガフ(Gaff)、下部の支持にブーム(Boom)が設置されたり、マスト間のロープに張られます。なお、図の最上部は旗竿(Flagstaff または Pole)です。各セクションのマスト、ヤード、セイルの名称は、それぞれのロケーションを頭に付けて、次のルールで呼ばれています。

　　　［①前後方向位置］・［②上下方向位置］・［③部位名］
　　　　①フォア／メイン／ミズン
　　　　②コース(省略)／トップ／トップゲルン　　　　　　ex. メイン・トップゲルン・セイル
　　　　③マスト／ヤード／セイル

　船首には斜め上方にバウスプリット(Bowsprit)が突き出しており、さらにその先にジブブーム(Jib boom)が取り付けられて、帆を張れるようになっています。バウスプリットの横帆をスプリットセイル、縦帆をフォアステイセイル、ジブブームの縦帆をジブセイルと呼びます。

　ここまで外形図で帆船の構造と名称を説明してきましたが、言うまでもなく船体は曲面で構成された三次元形状で、立体的な形は外形図では分かりません。通常、喫水線より下は水の抵抗を少なくするために流線型で、喫水線より上は重心を低くするために幅が狭く造られます。詳細な形状は設計ポリシーによって船ごとに異なっているため、

船体を忠実に作るには、船体の三次元情報が必要になります。

　過去から現在に至るまで、船の設計では、三次元形状を表すために船体線図
（Lines Plan）が用いられています。船体線図とは図3－1－2に示すように、船体を
三方向から複数の平面でスライスし、その断面形状を三方向（側面、平面、正面）に
投影した図面です。

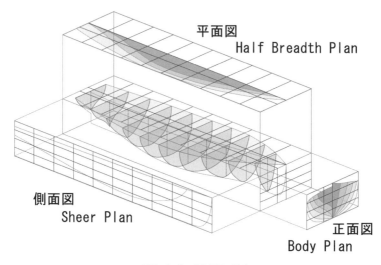

図3-1-2　船体線図の構成

　側面図（Sheer Plan）は船の右側面を見た図で、船体を前後方向の垂直面でスラ
イスした断面形状が描かれます。ここで、英語名のシアー（Sheer）とは、船体中ほど
から前方および後方に向かって設けられた上甲板の上方への反りのことで、波の甲板
への流入防止と船首と船尾の浮力向上のために設けられます。

　平面図（Half Breadth Plan）は右舷を上から見た図で、水平面でスライスした断
面形状が描かれます。左舷側にブルワークトップの形状が示されることもあります。

　正面図（Body Plan）は食パンを輪切りにするように船体をスライスしたときの断面形
状ですが、右半面は船首から中央までの図で、左半分が中央から船尾までの図を表
しており、線が重ならないように左右に分けて描いています。3つの図のそれぞれの線
は呼び合い記号（アルファベットや数字）で対応が付けられており、1つの図面の曲線
は、他の2つの図面では直線で表されます。

　図3－1－3が船体線図の例ですが、この図面を基に船体を作成すれば、滑らか

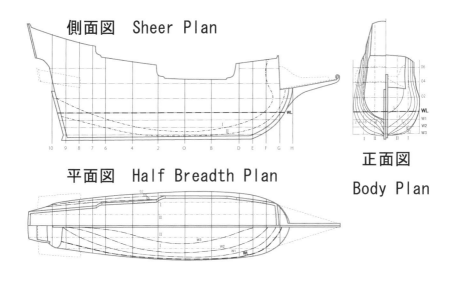

図3-1-3 船体線図の例

な曲面を持つ優美な船体を忠実に製作できます。

　その他の船体関連用語

　　LOA　……喫水線に平行に測定した船体の最大長さ(**Length overall**)。
　　　　　　　　通常、バウスプリットを含まない長さ
　　LWL　……満載喫水線の長さ(**Load Waterline Length**)
　　Beam　……船体の最大幅
　　Draft　……喫水。船体が沈む深さ

(2) 索具(**Rigging**)
　マストやセイルを支持・操作する一連のロープや滑車を総称して索具(**Rigging**)といいます。大型帆船ではロープの総延長が約40kmにもなり、滑車も大小800個ほどが使用されていますので、帆船にとって重要な構成要素になります。索具を大別すると、静索(**Standing rigging**)と動索(**Running rigging**)に分けることができます。以下、それぞれの主な種類と用途を説明します。

静索はマストを支えるためのもので、修理やメンテナンス以外では外すことがなく、普段は船体に固定されています。一般的には腐食防止のためにロープにタールが塗られているので黒色をしています。**図3-1-4**は静索を表した図で、主なものは以下の通りです。

- ステイ(**Stay**)：マストを前方で支えます。
- シュラウド(**Shroud**)：マストを両側面で支えるロープでセクションごとに設置され、下ほど太いロープが使用されます。横方向にラットライン(**Ratline**)が張られ、縄梯子として上に登ることができます。ラットラインは足場なのでタールは塗らず、細いロープが使用されます。
- バックステイ(**Backstay**)：マストを後方で支えます。

　帆船は追い風を受けて前に進むので、マストは後方から受ける風の力に負けないように、シュラウドやバックステイで後方の支持が強化されています。

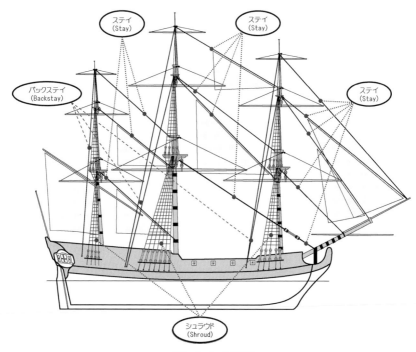

図3-1-4　主な静索

　動索は帆を操作するロープで、消耗が激しいので素材のままの麻色のロープが使用されます。**図3−1−5**は主な動索を表した図です。

《帆を張る》
- リフト(**Lift**)：ヤードの両端に付けてヤードを水平に吊るします。
- ジアー(**Jeer**)、タイ(**Tie**)、スリング(**Sling**)：ヤードの中央に付けて帆の上げ下げに用います。

《帆を動かす》
- ブレース(**Brace**)：ヤードの両端に付けてヤードの向きを変えます。
- シート(**Sheet**)：帆の下縁に付けて帆を後方に引きます。
- タック(**Tack**)：帆の下縁に付けて帆を前方に引きます。

《帆をたたむ》
- バントライン(**Buntline**)：帆の下辺に付けて帆をたたみます。
- クリューライン(**Clewline**)：帆の下縁に付けて帆を絞ります。

　この他に、ヤードに付けて人が帆を操作するときの横移動の足場に使うフット・ロープ(**Foot rope**)があります。

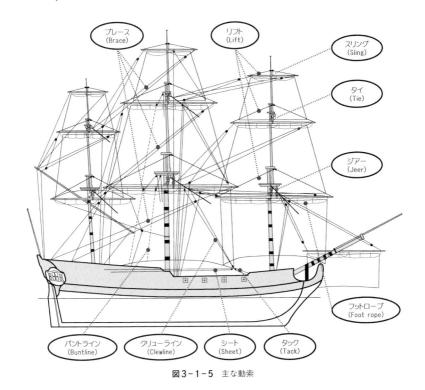

図3−1−5　主な動索

帆船模型では、風を受けて帆走している状態を表すフルセールモデルと、帆をたたんだ状態、または帆を外した状態のアンカードモデル（係留状態のモデル）があります。アンカードモデルは縦横に張られたロープの美しさを見せるためのもので、**図3-1-6**のように帆をたたんだ時の位置にヤードを下げて、帆を操作する動索は省略されます。

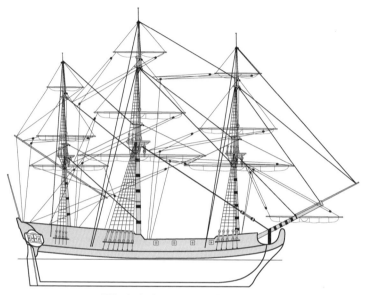

図3-1-6　帆を外した場合の静索・動索

　滑車（**Block**）はロープを扱うための重要な索具で、力の向きを変えたり、組み合わせて小さい力でロープを引いたりすることができます。**図3-1-7**にさまざまな滑車を示しますが、なかでも三つ目滑車のデッドアイ（**Deadeye**）は、シュラウドやバックステイを舷側のチャンネル（**Channel**）に固定するために使われるもので、その外観はシュラウドと共に帆船の造形にとって特徴的なものです。

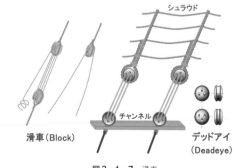

図3-1-7　滑車

(3) 艤装（Fitting）

艤装（Fitting）とは、船に必要な装置や設備、またはそれらを取り付ける作業を指します。帆船の外観から視認でき、ボトルシップに実装される主な艤装品には、次のようなものがあります。

- フィギュアヘッド（Figurehead）:船体の先端に取り付けられる装飾彫像
- 錨（Anchor）
- キャップスタン（Capstan）:垂直軸回転式巻き上げ機
- ウインドラス（Windlass）:錨の巻き上げ機
- ボート（Boat）
- 大砲（Gun）
- 舵輪（Steering wheel）
- ランタン（Lantern）
- 旗フラッグ（Flag）

3.2　ボトルシップの基本的な作り方

ボトルシップはピンセットなどを使って容器の中でパーツを組み立てて作る訳ではありません。狭い容器の口からリギングのような細かな作業を行うことはほとんどできません。ボトルシップを作る最もオーソドックスな方法は、マストを倒せるように作って容器の外でリギングなどのすべての組み立てを行った後、マストを倒して折りたたみ、容器に入れてから再びマストを立てて最終の姿に組み上げる方法です。

前節で説明したように帆船のマストは静索で支えていますが、逆に言えば、静索を緩めればマストを倒すことができます。帆船は、追い風に耐えられるようにマストの後方にシュラウドやバックステイなどの静索が多く張られるので、これらを固定したままでも傾けられる後方にマストを倒すようにします。マストの前方はステイで保持されていますが、ステイの一端のみ固定して、他端はマストにあけた穴に通して緩められるようにしておくと、ステイを緩めればマストは後方に倒れ、ステイを引けばマストを立ち上げられます。

ボトルシップの容器を横置きにするか縦置きにするかで、マストを立てる時にステイを引く方向が異なります。図3-2-1のように、容器が横置きの場合は船首方向に、縦置きの場合は上方向にステイを引いてマストを立てます。一般に縦置きのほうが、容器の口から船の各所へのアクセスは容易になります。

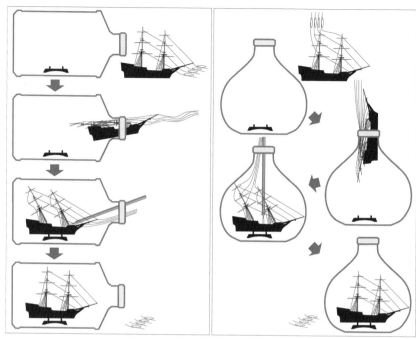

図3-2-1 ボトルシップの基本的な作り方

3.3 ボトルシップの製作手順

ボトルシップの製作手順を示します。

Step1:帆船の選定

Step2:容器の選定

Step3:帆船サイズの決定

Step4:船体・パーツの製作

Step5:組み立てとリギング

Step6:容器に挿入

Step7:最終組み立て・完成

具体的な作業内容は後半の実践編で詳細に説明しますので、ここでは製作の流れと作業項目などの一般的な事項を説明します。

Step1：帆船の選定

　スタートは帆船の選定と製作に必要な帆船の情報収集です。以前は、帆船の写真、外形図、船体線図などの情報は紙媒体しかありませんでしたが、今ではインターネットで簡単に世界中から情報を集めることができます。例えば「maritime museum」「tall ship model」「model ship building」「sailing ship plans」などのワードで検索すれば、帆船に関するさまざまな海外のサイトを閲覧できます。サイトに掲載されているすばらしい帆船模型の画像を見ていると、あれもこれも作りたくなりますが、完成したボトルシップをイメージして、気に入った帆船を選定してください。役に立つ情報が入手できる書籍やサイトなどを巻末に付録としてまとめてありますので参考にしてください。

Step2：容器の選定

(1)　形状と寸法（横幅、奥行、高さ、口径）

　まず帆船の形状を調べてみます。**図3−3−1**は、市販の有名な帆船模型の外形データから全高／全長の比を年代順にまとめた図です。全高は船底からメインマストの旗の先まで、全長はバウスプリットの先端から船尾のランタンやブームの端までの長さです。年代の古い帆船ほど全高／全長比が1.0に近く、船を固定する台座の高さも加味すると、ファットな形状の容器を縦置きにして作ることが適当です。19世紀以降の大型帆船は全高／全長比が0.6以下と横長ですので、スリムな形状の容器を横置きにして作ることが適当です。いずれにしても容器は帆船の形状とのバランスを考慮して選びます。

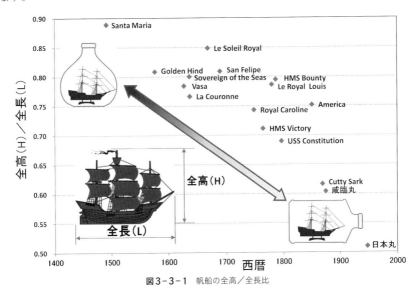

図3−3−1　帆船の全高／全長比

次に留意すべきは容器の口径です。市販されている酒類のガラス容器の口径は18〜22mmです。口径が小さくて首が長いほど製作の難易度が高くなります。

（2）透明度とゆがみ

形の良い酒瓶で作るとまさしくボトルシップになりますが、通常酒瓶は強度を持たせるためにガラスが厚く、かつ厚みも不均一なため、液体がない状態では意外と中の物がゆがんで見えます。作った帆船をきれいに見せたい場合は、硬質ガラスの容器や白熱電球のガラス球などの比較的薄くて透明度が高い容器を使用します。特に、電球の容器は口径が26mm程で首もほとんどないため、作りやすい容器です。本書は、単なるボトルシップの製作に留まらず帆船を忠実かつ精緻に作ることも目指しているので、実践編では帆船がどの方向からもクリアーに見えるボール形電球の透明ガラス球を使った製作例を紹介します。もちろん酒瓶でも、同じ手法で製作することができます。

Step3：帆船サイズの決定

苦労して帆船を作った後で、「容器に入れられない」、「容器に当たってうまく設置できない」といった悲劇を避けるためにも、帆船サイズの決定は大変重要な作業です。この作業は次の手順で行います。

（1）容器スペースに収まる帆船の製作スケールの決定

まず、帆船の全長・全高が容器に収まるスケールを決めます。そのための確実な方法は、容器形状を図面化して、そこに船体外形図を当てはめ、船を固定する台座の位置と高さを考慮してスケールを決定します。この一連の作業は、パソコンで図形や写真を編集操作できるソフト（例えばパワーポイントやフォトショップなど）を使用すれば、容易に行うことができ、かつ完成イメージを把握できます（**図3-3-2**）。

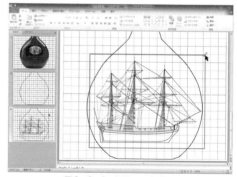

図3-3-2　帆船サイズの検討

（2）船体の分割要否の検討

帆船が容器に収まるスケールであっても、船体の断面が容器の口径より大きければ入れることができません。その場合は、船体を容器に入れられる大きさに分割し、容器

に入れてから組み立てる方法を取ります。しかし、細かな作業を容器に入れてから行うことは難しいので、リギングを行う船体上部は一体で作る必要があります。従って、船体上部は、船幅、船首楼、船尾楼やマストなどの取り付けパーツを含めた断面寸法を容器の口径以下にすることが必須条件になります。

首の長い容器では、船首から船尾、そして倒したマストの先まで一旦は容器の首の中に収めなければならないので、全体が口径の寸法以下になるように作る必要があります。首の短い容器では、船体を斜めに入れることができるので、各所の断面が口径寸法以下であれば良く、制約が緩和されます。

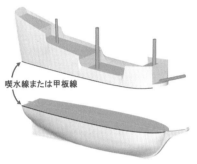

喫水線または甲板線

船体の分割は、**図3-3-3**のように喫水線かその付近の甲板線で上下に分けます。さらに分割が必要な場合もありますが、分割数が多いほど製作と組立ての難易度は高くなります。

図3-3-3　船体の分割方法

以上の検討で、船体を分割しても断面寸法が容器の口径をオーバーしそうな場合は、スケールを再検討することになります。船体の分割製作方法は、実践編で詳しく紹介します。

Step4：船体・パーツの製作

決定したスケールに合わせて、帆船の製作実寸大の外形図を作成し、この外形図を基に船体や各パーツを作ります。一般に木製帆船模型の船体の作り方には次の三通りの方法があります。

- プランクオンバルクヘッド方式

  ほとんどの木製帆船模型キットがこの方式で、キールに固定した十ほどの隔壁（バルクヘッド）に外板を張って船体を作る方式

- プランクオンフレーム方式

  多数のフレームからなる実船の構造を再現した構造模型の方式

- ソリッドモデル

  丸木舟のように、木材を削り出して船体を製作する方式

ボトルシップの船体は、基本的にはソリッドモデルで作ります。甲板、マスト、ヤード、その他艤装品などもスケールに合わせて作成しますが、パーツによっては小さすぎて原

型通り製作できないものがあり、これらは多少のデフォルメが必要になります。

Step5：組み立てとリギング

　船体とパーツができたら、組立フレームを用いて船体を固定し、組み立てとリギングを行います。先にマストを操作するためのステイを引いてマストを立てて仮止めします。この状態で他の静索・動索を最終位置に結び付けて固定します。

Step6：容器に挿入

　容器内面の洗浄と乾燥、船体塗装等の乾燥を念入りに行います。乾燥を十分に行わないと、容器封止後に容器内面が曇ることがあります。船を容器に挿入する際は、マストや帆をたたみ、船に破損がないか確認しながら、慎重にゆっくり挿入します。

Step7：最終組み立て・完成

　操作用のステイを引いてマストを立ち上げ、ステイを接着剤で固定してから不要部分を切断します。最後に全体の形を整えて台座、船体の位置を確認しながら固定し容器を封止すると完成です。

3.4　スケールダウン

　市販の帆船模型と比べて、ボトルシップの帆船は格段にサイズが小さくなりますが、極力忠実にスケールダウンして作り込めば、小さいながらもリアリティーのある作品になります。主要な帆船メーカーから発売されている中上級者向け帆船模型のスケールは1/60～1/100で、全長数十センチ、使用するパーツは最小2mm程の大きさです。

　一方、ボトルシップを電球や一般的な瓶のガラス容器に入れる場合、容器の内容量は500～750mℓ、口径は20～26mm程ですから、収納できる帆船の全長は概ね10cm前後になります。この大きさは、ちょうどL判の写真に収まる大きさで、スケールに置き換えると、中小型船で1/300～1/500、大型船で1/500～1/800になります。従って、大型船ほど縮小率が大きくパーツが小型化し、さらにパーツの個数も増えるので、相対的に難易度が上がります。小さすぎてスケール通りに実現できないパーツは簡素化やデフォルメして多少大きく作ることになりますが、どのようなパーツがその対象になるか調べてみます。

　表3-3-1は、大型船の代表としてイギリスの一級戦列艦ビクトリー号を例に、実船のサイズをスケール1/800にスケールダウンした場合の各部・各パーツのサイズをまとめた表です。ボトルシップの欄に＊印とグレーに色付けしてある項目は、このスケールでは小さ

項目	実船（ft）	実船（m）	ボトルシップ(mm)
Scale	1/1	1/1	1/800
総全長	338ft（図面より）	103	128.8
全長(LOA)	227ft 6in（図面より）	69.34	86.7
全高	224ft（図面より）	68	85.0
全幅	51ft 10in	15.8	19.8
Main Mast（L）	174ft 5in	53.16	66.5
Main Mast（Φ） 下部－先端	3ft － 9 3/4in	0.91－0.25	* 1.1 － 0.3
Main Yard（L）	102ft 4in	31.19	39.0
Main Yard（Φ） 中央－先端	2ft－10 1/4in	0.61－0.26	* 0.8 － 0.3
Main Topgallant Yard（L）	48ft 6in	14.78	18.5
Main Topgallant Yard（Φ）	10in－4 1/4in	0.25－0.11	* 0.3 － 0.1
Main Mast Stay（Φ）	18in ／π	0.15	* 0.18
Shroud（Φ）	11in ／π	0.09	* 0.11
Ratline（Φ）	1 1/2in ／π	0.01	* 0.02
Backstay（Φ）	7in ／π	0.06	* 0.07
Lift（Φ）	4 1/2in ／π	0.04	* 0.05
Brace（Φ）	3 1/2in ／π	0.03	* 0.04
Sheet/Tack（Φ）	7 1/2in ／π	0.06	* 0.08
デッドアイ滑車	14in-18in	0.36－0.46	* 0.5-0.6
一般滑車	10in-20in	0.25－0.51	* 0.3-0.6
砲門	38in x 34in	0.97 x 0.86	1.2 x 1.1
大砲（L）	10ft	3.05	3.8
大砲(Φ)	12in - 24in	0.31 - 0.61	0.4-0.7
錨（W、H）	14ft、21ft	4.22、6.43	5.3、8.0
ランタン（Φ、H）	3ft、4ft 7in	0.85、1.4	* 1.1、1.8

（L：長さ、H：高さ、φ：直径、実船（ft）欄のロープの太さは　円周／πで直径を表記）

表3-3-1　1/800ビクトリー号のサイズ

すぎて製作できないパーツです。部位ごとに詳しく見ていきます。

・船体

　船体そのものは問題なく作れる大きさですが、注意すべきは容器の口径に対して挿入が可能であるかという点です。困難な場合は、船体を分割することや、安全策として部分的に小さめに作ることが必要になります。

　船体加工での難関は砲門の加工です。特にビクトリー号は100門艦で、忠実に再現しようとすると、船体に1.2mm角ほどの四角い穴を4mm間隔で約15個／1列、左右に各3列あける必要があります。砲門の美しい並びは見栄えに大いに影響しますが、木目があり硬さが均一でない木材の曲面にこの精度の加工をするためには、繊細で根気のいる作業が必要です。

・マスト、ヤード

　ビクトリー号の最も太いメインマストをスケール換算すると、マストの太さは下部が1.1mmで先端が0.3mmになります。しかし、ボトルシップではマストに静索や動索を通すための0.4mmまたは0.5mmの貫通穴を複数あけるので、マストは最低でも1mm程度の太さが必要です。さらに、細い丸棒のマストのセンターに正確に穴をあける加工精度も要求されます。

　ヤードは、最も太いメインヤードで中央が0.8mm、先端が0.3mmです。通常貫通穴

の加工は行いませんが、止め穴やリング状の溝の加工は行うので、強度が保てる範囲で細く仕上げます。

• 静索、動索

　帆船では高い位置で太いロープを使うとマストの負担が増えて重心も不安定になるため、一般的にはロープは上ほど細く下ほど太く、荷重の掛かるところは太くなるように、太さを決めて使い分けています。この原則に準じてボトルシップでも太さの異なる糸を使い分けますが、スケール換算値は太いロープで0.2mm〜0.1mm程度、その他は半分以下の太さになりますので、使い分けは概ね二種類の糸で行います。帆船模型メーカーが提供する最も細いロープは直径0.1mmですが、ボトルシップではさらに細い糸が必要で、市販の縫製用の糸を使う場合は、糸の太さの番手で#50〜#100のものから色と太さを確認して選択します。

　滑車は、スケール換算したサイズで現物の形状通りに作ることはできませんが、滑車を使用しないと静索・動索を張れないところもあるので、リング状の物で代用します。具体的には0.8mm〜1.2mmの細い真鍮パイプを切断して作ったものや、サイズは少し大きめですが真鍮製つぶし玉（直径1.5mm）を用います。

　シュラウドは舷側に取り付けたチャンネルにデッドアイ滑車で固定します。フォアマストやメインマストの最下段の大きなシュラウドでも、スケール換算すると、縦のロープの固定間隔は1mm以下になります。しかし、デッドアイ滑車の大きさやラットラインを張る作業を考えると、1.5mm程度の間隔が実現可能なレベルです。またラットラインも実船のような細かい網目にするのは難しいので、本数を減らして作成します。

　動索はセイルを人が操作するためのものですから、ロープは操作しやすい甲板上のマスト近辺やブルワーク側面のファイフレール（Fife rail）、ビレイピン（Braying pin）、クリート（Cleat）、アイボルト（Eye bolt）などに巻きつけて固定されます。ボトルシップでは、動索は帆を保持するのに必要で、かつマストを後方に倒す際の支障にならない範囲を実装し、船体の手すりやクリートなどのロープ止めに直接固定します。

• 艤装品

　艤装品は概ね数ミリの大きさで、加工はミリオーダー以下になります。どの程度小さなものが製作できるかは、加工精度と材料の強度によりますが、ホビーの範疇で実現できる加工精度はツールを使用しても0.1mm、穴あけは最少0.3mm ϕ、材料強度からは、硬い木材で厚さ0.3mmがほぼ加工の限界です。

　細かな加工が必要な艤装品には、手すりやスターンギャラリーの装飾などがあり、極力リアルに作るのが創意工夫のしどころです。実践編で具体的な製作例を紹介しますが、ここで紹介する方法は一例ですから、自由な発想でいろいろ試してみてください。

4. 材料とツール

4.1 材料

ボトルシップの製作に必要な材料と用途をまとめます。

(1) 木材 (図4-1-1)

木材にはさまざまな種類がありますが、工作用に加工販売されていてボトルシップに利用できる種類はそう多くはありません。その中から、船体や甲板にはきめが細かく加工が容易な桧や朴など、パーツには微細な加工に耐える胡桃などの硬い材料、柱状のものには折れにくい竹などを用います。

- 桧または朴の角材 (20×20mm、20×15mmなど)…船体
  桧は木目が平行で細かく整っているものを選択
- 桧平板 (1mm厚)…甲板、キール
- 桧丸棒 (8mmφ、10mmφなど)…檣楼(しょうろう)、見張り台
- 胡桃など硬度の高い平棒 (5×1mm、5×2mmなど)…艤装品など細かなパーツ
  0.5mm幅程度の微細な切削や穴あけ加工が行える硬度・密度のある木材
- 竹丸棒 (2～4mmの料理用竹串、竹楊枝など)…マスト、ヤード
  節がなく曲っていないもの

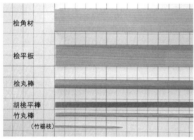

図4-1-1 木材

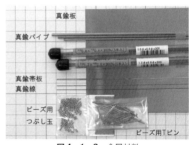

図4-1-2 金属材料

(2) 金属材料 (図4-1-2)

小さくて強度が必要な部品には、加工が容易な真鍮や銅を用います。

- 真鍮板 (0.1mm厚)…船尾／船体の飾り
- 真鍮パイプ (外径2.0～2.5mmφ)…マストベース
- 真鍮パイプ (外径／内径　mm:0.8／0.4、1.0／0.6、1.2／0.8)…大砲、滑車
- 真鍮帯板 (0.2mm厚)…砲門蓋、ラダーヒンジ

- 真鍮線(0.5mmφ、0.4mmφ)、銅線…旗竿、留めピン　他
- ビーズ用つぶし玉(1.5mm)…デッドアイ、滑車　他
- ビーズ用Tピン…錨、小物
- 鎖…錨用

(3) 糸(**図4−1−3**)

ロープ用の糸は、長繊維を撚って作るフィラメント糸が毛羽もなく光沢があって最適です。天然繊維では唯一絹糸だけがフィラメント糸ですが、合成繊維では全く毛羽のないテトロン糸と呼ばれるポリエステルの高品質なミシン糸が市販されています。色は黒、茶、麻色を使用しますが、糸の太さ、撚りの状態、毛羽などを現物で確認して選択するとよいでしょう。

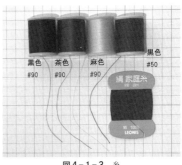

図4−1−3　糸

- 絹糸　ミシン糸(#50)、手縫い糸(#40)、穴糸(#8)
- ポリエステル糸　ミシン糸(#50、#90)…テイジン®テトロン®エースクラウン®など

(4) その他

- インクジェットホワイトシール…旗
- カット紙…セイル
- ビーズ…ランタン

4.2　ツール

ボトルシップの製作に必要なツールをまとめます。細かな加工を行うので、それなりの道具をそろえる必要があります。◎印のツールは必須で、○印のツールは他のものでも代替可能ですが、あると作業が容易になります。

(1) のこぎり(**図4−2−1**)

　◎DIY用薄刃精密のこぎり
　　刃厚が薄くて引き幅が狭いのこぎりが適当
　◎エッチングのこぎり
　　あさりがなく極薄なので、小部品の切断が精度よくできる
　◎糸のこ
　　中抜き用、1mm穴に通せる細いもの

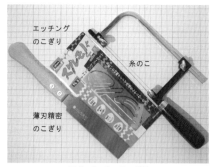

図4-2-1　のこぎり

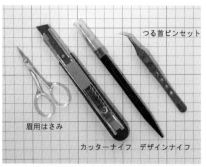

図4-2-2　はさみ、ナイフ、ピンセット

(2) はさみ（**図4-2-2**）
　　◎眉用はさみ
　　　　先端が鋭く、狭い場所で糸を切断できる眉用はさみが最適

(3) ナイフ（**図4-2-2**）
　　◎カッターナイフ（薄刃がベター）
　　○デザインナイフ
　　◎カッティングマット

(4) ピンセット（**図4-2-2**）
　　◎精密ピンセット（つる首タイプ）
　　　　細かい作業ができるもの

(5) ドリル＆ピンバイス（**図4-2-3**）
　　◎ドリル（0.3～1.5mm）
　　◎ピンバイス
　　◎針（穴あけ、接着剤の少量塗布）

(6) やすり（**図4-2-3**）
　　◎超精密やすり
　　　　丸やすり：先端直径1mm以下
　　　　角やすり：先端1mm角以下
　　　　平やすり：厚さ1mm以下
　　◎サンドペーパー（400～2400番）

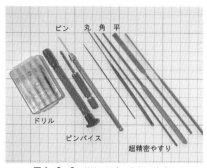

図4-2-3　ドリル＆ピンバイス、やすり

(7) 計測（**図4−2−4**）
　◎定規（ステンレス直尺）
　○ノギス
　○リベット定規（エッチングツール）
　○スコヤ
　○トースカン

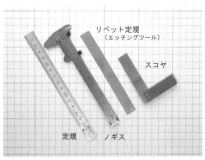

図4−2−4　計測

(8) 塗装関係（**図4−2−5**）
　◎水性木部着色剤
　（チーク、オーク、ウオールナットなど）
　○木工用油性塗料
　○マスキングテープ
　（塗装のマスク、部品の仮固定）
　○絵筆（細部仕上げ用極細）

(9) 接着剤（**図4−2−5**）
　◎木工用ボンド
　◎エポキシ系接着剤

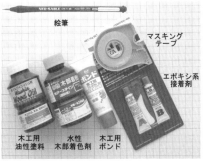

図4−2−5　塗装・接着剤

(10) 工具・他（**図4−2−6**）
　◎糸通し
　（0.4mmの穴に糸を通せる極細糸通し、
　ワイヤー針またはミシン糸用糸通し）
　◎バイス
　○ニッパー
　○プライヤー（フラットノーズ）
　○クリップ、ピンチ、クランプ
　◎ミニルーター
　○X−Yテーブル
　◎ハンダゴテ（真鍮材料の接合に使
　用）
　◎パソコン、プリンター（情報収集、型紙・セイル・旗の印刷）
　○容器クリーナー（精製水、無水アルコール、エアーダスターなど）
　○拡大鏡、スケールルーペ

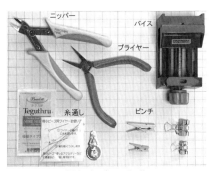

図4−2−6　工具・他

4.3　組み立て治具の自作

　ボトルシップの製作には、小さなパーツの加工や組み立てを助ける治具が必要になります。市販されている帆船製作用のツールは大きすぎて使えませんので、必然的に自作することになります。以下に必要な治具の製作例を紹介しますので、自作の参考にしてください。

（1）センター穴あけドリルガイド

　マストはステイやヤードを取り付けるために複数の貫通穴の穴あけが必要です。直径1〜2mmで硬さが不均一なマストの丸棒のセンターに、0.5mmの穴を正確にあけるためには、ドリルが丸棒の中心を貫通するように慎重に穴をあける必要がありますが、ドリルガイドがあると比較的失敗なく作業が行えます。

　図4-3-1は丸棒の穴あけを補助するドリルガイドです。図のキューブは基板垂直取付ブロックとして電子部品店で売られているもので、1cm角の立方体の2方向にM3のネジ穴があいています。この穴は、そのままでは直径2.5mm、ネジをさらえば直径3mmの丸棒を入れることができます。このキューブを3個用い、図のように2つのキューブで丸棒の両端を固定します。残る1つは、キューブのネジ穴があいていない面の中央に0.5mmの穴をあけてドリルガイドとします。加工が容易な真鍮平ネジM3のセンターに0.5mmの穴をあけてドリルガイドにする方法もあります。

　ドリルガイド用キューブを丸棒のマーキング位置に合わせて固定して、ガイド穴に0.5mmのドリルを入れて穴をあけます。また、丸棒と両端のキューブを90度回せば、直交する方向に穴をあけることができます。こうして丸棒に必要な穴をあけた後、所定の太さになるようサンドペーパーで細くすればマストが完成します。

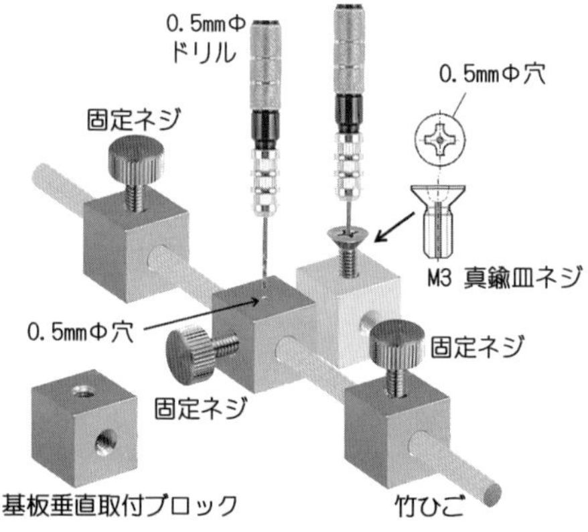

〔使用部品〕
　• 基板垂直取付ブロック…3個
　　（1cm角、ネジ：M3、真鍮またはジュラコン製）
　• M3ネジ…3個

図4-3-1　センター穴あけドリルガイド

(2) シュラウド組み器

シュラウドは放射状に張った数本の縦糸に細い横糸のラットラインを縄梯子状に張って作ります。縦糸を固定して横糸を等間隔に編み込むための治具が必要で、さまざまな寸法のシュラウドに柔軟に対応できる治具を紹介します。

図4−3−2が治具の構造です。主要部品は、格子状に一定間隔の穴があいている電子回路実装用のユニバーサル基板です。一般的なユニバーサル基板の穴の間隔は2.54mm（1/10インチ）ピッチですが、1.778mmピッチも市販されており、シュラウド用には1.778mmの基板が適当です。

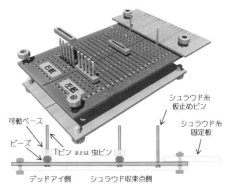

図4−3−2 シュラウド組み器（構造）

基板の穴を利用して、シュラウドを張る位置にTピンを立て、シュラウドの糸を基板から浮かせるために、ビーズや木製のベースをTピンにはめます。

図4−3−3がシュラウドの製作例です。ちなみに手前は平板と虫ピンで作った簡易治具で、同様の機能を果たすことができます。シュラウドの組み方は、縦糸を結んだデッドアイの下部を等間隔に並んだピンに刺し、シュラウドの寸法に合わせて収束点の位置に立てたピンを経由して、縦糸を順番に仮止めします。ラットライン

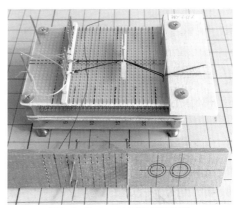

図4−3−3 シュラウド組み器（実施例）

を基板の横線に合わせて等間隔に編み込み、最後は収束点を一括して縛ります。形を整えた後、薄めた接着剤を塗布し、余分な糸を切除します。

〔使用部品〕

- ユニバーサル基板（1.778mmピッチ、72×48mm）…1枚
- 虫ピンまたはTピン…数本
- 平板（スペーサー、糸留め用）

（3）ミニルーター加工ツール

　ミニルーターを使用すると格段に作業が楽になりますが、さらにXYZの三軸を可動にすると、より精密な部品加工が効率的に行えます。その活用方法を紹介します。

　ミニルーターを固定し、**図4-3-4**のようにX-Y可動テーブルを設置してブレ止めの心押台（テールストック）相当を設ければ、簡易木工旋盤になります。丸棒のサンドペーパーでの細径化などの加工が容易にできます。

図4-3-4　ミニルーター加工ツール

　さらにZ軸、すなわちミニルーターの高さも調節できるようにすれば、加工の自由度が格段に向上します。高さの調節には、ラボジャッキと呼ばれる天板を昇降させる機構が応用できます。**図4-3-5**はラボジャッキの構造で、ひし形に組んだ支柱の対角間の距離を全ネジで収縮／拡大させることで台の高さを変更できます。一般的な材料で自作可能です。

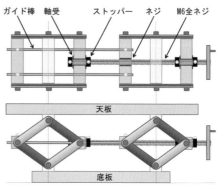

図4-3-5　ラボジャッキの構造

　部品の加工には、材料を固定するバイスも必要です。**図4-3-6**のように薄い平板などの材料を両端で保持する構造の小型バイスを用意すると、丸鋸刃や切断砥石で部品の切削・切断が可能になり、極小部品の製作に大変便利です。小型バイスの取り付け角度を変えれば、斜めの切削加工もできます。

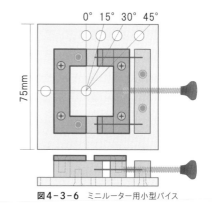

図4-3-6　ミニルーター用小型バイス

（4）木材ベンダー

　船体に木材で作った部品を取り付ける場合、あらかじめ船体曲面に沿うように曲げ

ておく必要が生じます。木材はお湯に浸けて
柔らかくしてから、所定の形に曲げて乾燥さ
せると、曲げ癖を付けることができます。**図4
－3－7**は曲げをサポートする木材ベンダー
で、排水用目皿を利用しています。適当な曲
げRを付けられるように円筒形の家具用ツマミ
を中心に取り付け、円筒スペーサーをボルトで
留めて、木材を曲げた状態で保持し乾燥させ
ます。

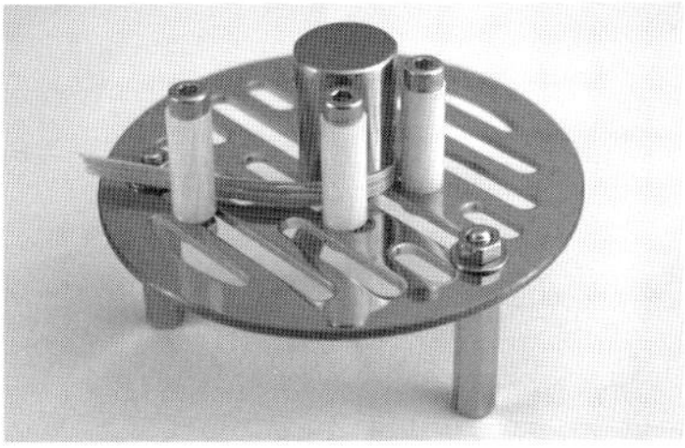

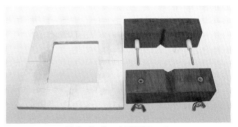

図4－3－7　木材ベンダー

〔使用部品〕
- 排水口用目皿（直径9cm程）…1枚
- 円筒形ツマミ（直径18mm程）…1個
- 円筒スペーサー（直径6mm）…3本
- M3ネジ…3本

(5) 水平研磨ツール

角棒や丸棒の端面を水平に研磨
するためのツールです（**図4－3－
8**）。2つの木製ブロックの切り欠きで
材料を垂直に固定し、サンドペーパ
ーの上に乗せた穴あき台の上でスラ
イドすることにより、材料の端面を水
平に研磨します。

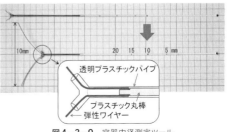

図4－3－8　水平研磨ツール

〔使用部品〕
- 角材（30mm角×10cm）…2本
- 平板（10cm角）…1枚
- M3長ネジ+蝶ナット…2組

(6) 容器内径測定ツール

酒瓶などの容器の内側の寸法を
知りたい場合に、**図4－3－9**のツー
ルを使うと、ほぼほぼ正確に内径を
測ることができます。構造は、先端を
二股に分けた透明プラスチックパイ
プに、弾性のあるワイヤーを取り付け

図4－3－9　容器内径測定ツール

たプラスチック丸棒を挿入します。プラスチック丸棒を抜き差しすると、二股に分かれた
ワイヤーの先端の距離が変わるので、ワイヤーを容器の内側に合わせてから、引き抜
いて先端の距離を測定すれば、容器の内径を知ることができます。

〔使用部品〕

- プラスチックパイプ（外形3mm、内径2.2mm）…1本
- プラスチック丸棒（直径2mm）…1本
- 剛性のあるワイヤー…20cm　1本

（7）組み立てフレーム

　容器の外で一旦船体を組
み立てる際に、マストを仮止
めしてリギングを行いますが、
この時に船体やマストを固定
する組み立てフレームが必要
になります。**図4-3-10**が
組み立てフレームの構造で、
船体を固定するベースと操
作用ステイを仮止めする切り
欠きを入れたフレームからなり
ます。船体をベースにテープ

図4-3-10　組立フレーム（構造）

で固定し、ステイを引いてマストを所定位置に仮止めしたあと、静索、動索を結線して
いきます。

〔使用部品〕

- ベース板…1個
- 仮止め板…2個
- M4真鍮全ネジ（支柱）…2本
- M4ナット…6個

（8）ボトル内組み立て治具

　ボトルシップの船を容器に入れた後は、船体の組み立てと固定、操作用ロープを引
いてマストを立ち上げ、ロープを接着剤で固定して切断、船全体の形を整えて容器を
封止、の手順になります。

　これらの作業を容器の口から行うために丸棒の先端を加工した専用の組み立て治
具を準備します。**表4-3-1**に治具の用途と形状をまとめます。

名称	用途	形状
針	パーツの保持・移動	縫い針を取り付け
鈎針	ロープやパーツの引き上げ	虫ピンの先端を鈎針状に曲げて取り付け
コテ	接着剤の塗布	Tピンの先端を潰して角度を付けて取り付け
二股	ロープを押さえる	丸棒の先端に切込みを入れて二股にする
綿棒	船体を押さえる	穴をあけて硬めの綿棒を取り付け
カッター	ロープの切断	切込みをいれてカッターの刃を取り付け

表4-3-1　ボトル内組み立て治具の用途と形状

　表の治具で十分組み立ては可能ですが、容器の中で部品を持ち上げたり、保持したりするのに、マジックハンドの仕組みを利用した**図4-3-11**の構造の小型マジックハンドがあると便利です。真鍮板で爪とベースを作り、真鍮パイプで柄を作っています。

幅20mm長さ30cm程で、一般的な市販のボトルに入れることができ、ツマミを押せば爪が開いて、離せばバネの力で爪が閉じて対象物を挟み、保持することができます。下の写真が実際に制作した小型マジックハンドですが、爪の先には挟みやすいように、プラスチックの滑り止めを付けてあります。

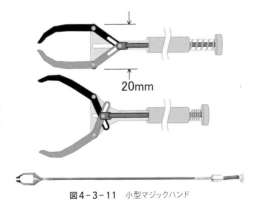

図4-3-11　小型マジックハンド

実 践 編

5. サンタ・マリア「Santa Maria」の製作

5.1 製作準備

(1) 帆船の選定

　実践編で最初に製作するのは、コロンブスが1492年にインドを目指して大西洋に出航したキャラック船の旗艦サンタ・マリア号です。はじめて作るボトルシップとしては、すこし難しいかもしれませんが、特徴ある姿は見栄えもよく、帆船の基本構成要素の製作を一通り経験できます。この船ができれば、他の帆船も作ることができるようになります。

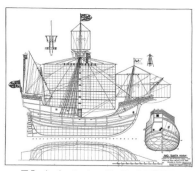

図5−1−1　サンタ・マリア号の復元設計図
画像：バルセロナ海洋博物館　登録番号357P

　有名なサンタ・マリア号ですが、実はほとんど資料が残っていません。当時の帆船技術を推定して、多くのモデルが考案されましたが、本書はコロンブスの航海500年を記念してスペインで建造された復元船を参考にしています。この復元船はバルセロナ海洋博物館の館長であったホセ・マリア・マルティネス・イダルゴ氏が研究したモデルに基づいており、図5−1−1の設計図がバルセロナ海洋博物館に登録されています。

　復元船の一艘はスペインから大西洋・パナマ運河・太平洋を越えて「黄金の国ジパング」に実際に航海し、1992年に神戸港に入港しました。その後長らく神戸のメリケンパークに展示されていましたが、残念なことに老朽化のため2013年に解体されました。

　製作のベースは図5−1−1ですが、帆の形状やデザインは装飾性を加味してアレンジしています。外形図を図5−1−2、船体線図を図5−1−3に示します。

　船の寸法（*印は外形図から換算）

　　全長　LOA ……25.7m（バウスプリットを含むと27.6m*）

　　全幅　Beam……7.5m

　　全高（メインマストの高さ）……24.7m*

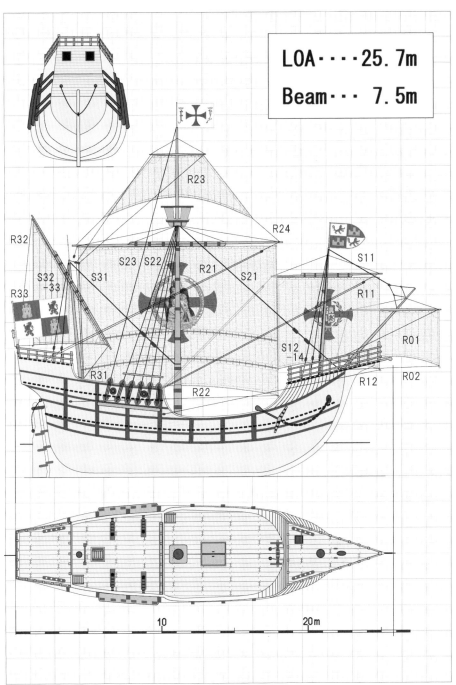

LOA・・・25.7m
Beam・・・7.5m

R23
R24
R32
S23 S22
S31
R21
S21
S11
S32
-33
R33
R11
R01
S12
-14
R31
R12
R02
R22

10   20m

図5-1-2　サンタ・マリア号　外形図（73％に縮小で原寸大）

49

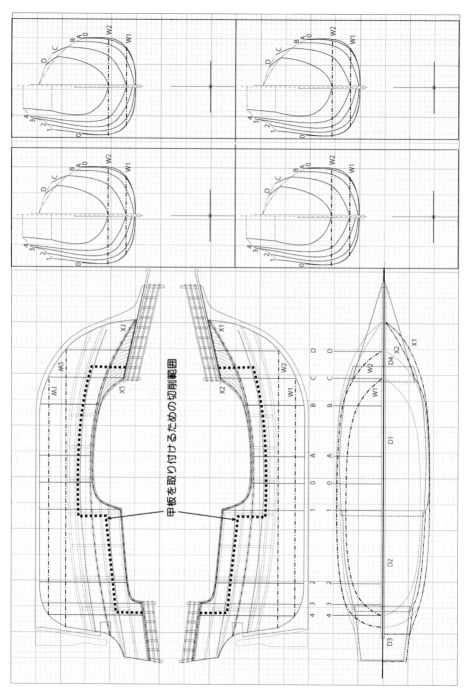

図5-1-3　サンタ・マリア号　船体線図(73%に縮小で原寸大)

(2) 容器の選定

　船の全高／全長比は24.7÷27.6≒0.89で、丸みをおびた船体です。帆やフラッグも美しいので、容器には透明度が高く中身が360度どの位置からもよく見える、ボール型電球の透明ガラス球を使用します。ボール型電球は口金E26で球の直径が95mmのクリアタイプですが、白熱電球は生産縮小傾向にあるもののボール型LEDフィラメント電球も販売されていますので、ガラス球の入手は継続してできそうです。

　　直径……95mm
　　口径……26mm程度（E26口金との接合部で切断した場合）

(3) 製作サイズと構造検討

　容器形状と帆船形状を重ね合わせて製作サイズを検討します。直径95mmのガラス球内に船を置くと**図5-1-4**のようになります。収納可能な最大サイズのスケールは1/340で、各諸元は次の通りです。

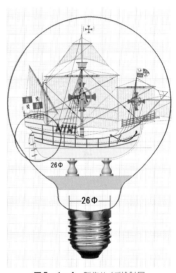

　　長さ（LOA）………76mm
　　高さ……………73mm
　　船体の幅…………22mm
　　船体の高さ………26mm（船首楼）
　　　　　　………28mm（船尾楼）

　船首楼、船尾楼のキールからの高さは口径以上の値になりますが、電球容器は首がないので26mmの開口部を通過できれば、船体を斜めにすることで容器内に入れることができます。この条

図5-1-4　製作サイズ検討図

件で船体挿入の可否を検討すると、厳しい個所は船尾のラダー先端と倒したメインマスト間の距離で、図の26mmφの丸印で示したようにぎりぎりの寸法です。ラダーを外せば入る寸法になるので、ラダーは容器内で後付けにして対応することにします。

　次に、容器挿入時の折りたたみ方の検討です。**図5-1-2**の外形図で、フォアマスト、メインマスト、ミズンマストともそれぞれ前方のステイは1本で、このステイを緩めればマストを後方に倒せます。タックなどの帆を前方に固定する動索は取り付けません。組み立ては縦置き相当になるので、各ステイは前方で固定し、各マストの穴を通して上方に操作できるようにします。メインマストとミズンマストは、極力船尾楼の傾きに沿って倒せるようにし、フォアマストは後方にある柵などの構造物を避けて倒せるように、そ

れぞれのマストを倒す回転軸の高さを設定します。

　ヤードは、メインヤード以外はそのまま容器に挿入できますが、メインヤードはマストに添うように回転させないと入れることができません。従って、メインヤードを回転するときの支障になるトップセイルとメインヤード間のシート（R24）の結線は、容器挿入後に行うことになります。

　最後に、船体は、容器開口部に木製ベースを設置して固定します。従って船体の組み立ては船体を固定しないで行い、木製ベースと船体の固定も容器の開口部から行えるように工夫する必要があります。

【神戸メリケンパークのサンタマリア号】
ホームページ「旅とのりもの：兵庫の旅」より
（撮影 2009 年 3 月 10 日）

5.2 船体の製作

　船体はソリッドモデルですが1本の角材を削って作るのではなく、左右の船体と中央のキールの3つに分けて作り、それらを組み合わせます。この方法が最も容易かつ正確に作れる方法で、メリットはキールがきれいに形成できることと、船体線図の正面図を切り抜いて、半身の船体に当てれば、側面形状の状態を直接目視確認できることです。

　船体の製作手順は次の通りで、手順に沿って具体的な作業内容を説明します。

　　Step1：左右船体用角材の連結

　　Step2：船体上下面の整形

　　Step3：船体側面の整形

　　Step4：船体上部の加工

　　Step5：キールの連結と整形

　　Step6：船体の塗装

　主な材料

　　桧角材　12×25×125 mm …………　2（船体用）
　　　　　　（または25×25mmの角材を2分割）

　　桧平板　1×30×130 mm …………　1（キール用）
　　　　　　1×30×100 mm …………　1（甲板用）

　　ボルト・ナット M3 20mm …………　各2

　　真鍮棒（0.5mmφ）………………　若干

Step1：左右船体用角材の連結

　キール部分を除いて、左右の船体用角材を切り出して連結します。船体用角材の長さは、船体の長さ75mmと加工する際のグリップ50mmを足し合わせた125mmにします。

① 　船体用角材

・木目が細かく平行に整っている面を側面にして、長さ250mmの角材を中央で切断し、左右2本の角材を背中合わせに重ねます（**図5−2−1**）。こうすると折り返し側から見て木目が左右対称になるので、折り返し側を船首にし、木目の山側を上にします。

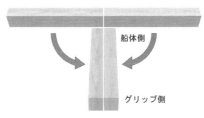

図5−2−1　船体用角材の切断

② 船体用角材の連結

・グリップ部分をネジ止めして左
右の角材を連結します。接合面
をサンドペーパーで研磨し、重
ね合わせた角材をバイスやクラ
ンプでしっかり固定して、グリッ
プ部に直径3mmのM3ネジ用
の貫通穴を2か所あけます。後

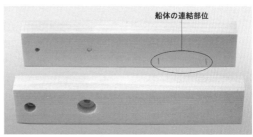

図5-2-2　左右船体用角材の連結

の作業でグリップはバイスでの固定に用いて、水平垂直の基準になるため、M3ネジの
頭とナットは座ぐりをして隠します（**図5-2-2**）。

③ 船体部分の連結

・船体部分も前後の2か所で左右を連結します。これは、船体をグリップから切り離し
た後に正確な位置で連結するためと、加工の際のたわみによる左右のずれを防止す
るためです。連結は、ダボ継ぎの要領で真鍮線を渡して行います。グリップのネジ止め
を一旦ばらして、片方の船体の接合面の前後2か所に0.5mmφ、深さ5mmの穴を垂
直にあけます。この穴に若干頭が出る長さの真鍮線を入れて、反対側の船体をグリッ
プ部で結合し、結合位置を写し取ります。その位置に同じように垂直の穴をあけ、左右
に0.5mmφ、長さ10mmの真鍮線を渡して連結します。

④ 仕上げ

・結合後に底面と上面を再度サンドペーパーで研磨し、左右の段差がないよう平面に
仕上げます。

　以下の説明では、連結した船体材料一式を「船体ブロック」と呼びます。

⑤ 型紙の貼り付け

・船体線図をもとに、船体の製作寸法に合わせて側面図、平面図の型紙を作ります。
図5-1-3の船体線図を背景が1mm目の方眼紙になるように73%に縮小すると、
製作サイズの型紙として使用できます。

・船体ブロックに両側面と上下面を一周する基準線を描き、グリップ側を船尾にして、
基準線に合わせて型紙を貼ります（**図5-2-3**）。左右の側面図は船底の加工が最
小限になるよう底辺に合わせて貼ります。この段階では船体ブロックにキールを取り付

けていないので、平面図はキー
ル部分をカットした型紙を、中心
線に合わせて底面に貼ります。
型紙の貼り付けには、剥がしや
すい水溶性の木工用ボンドを使
います。

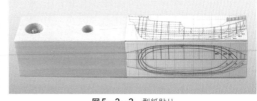

図5-2-3　型紙貼り

Step2：船体上下面の整形

　船体ブロックの整形は上下面から行います。

① 中央部の木取り

・サンタ・マリア号は上甲板より
高い位置に船首楼甲板、後甲
板、船尾楼甲板があるので、船
体上部は凹型になります。まず
切り取る部分に切り込みを入れ
ますが、特に中央の曲面部分
は細かく切り込みを入れます。

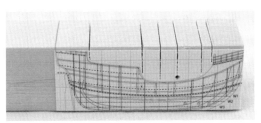

図5-2-4　上面の切り込み

・切り込みの下端1か所にドリ
ルで1mmの穴をあけ（**図5-2
-4**）、糸のこを通して、型紙の
船体のラインをオーバーしないよ
うに隣の切り込みまで切削して
いきます。糸のこは曲がりやす
いので、左右の位置を随時確
認しながら、ブロックごとに慎重
に切り取っていきます。

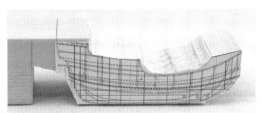

図5-2-5　上下面の木取り

② 上下面の木取り

・直線的な部分は精密のこぎり
で切り取ります。底面の船首と
船尾の余分な部分も側面図の型紙に沿って切り取ります。

図5-2-6　上下面の整形

・グリップと船尾の連結部分は、強度上必要な部分を残して、船尾の整形が極力でき
るように切り取ります（**図5-2-5**）。

③ 上下面の整形

・大まかに切り取った部分をサンドペーパーで側面の型紙通りに細部を整形します（**図
5-2-6**）。平面は角材にサンドペーパーを巻いて削り、曲面は丸棒にサンドペーパー
を巻いて削ります。

Step3：船体側面の整形

① 平面図型紙の貼り付け

・**図5-1-2**の平面図を船体外形に沿って切り取ります。中心線を挟んでキールの
厚み分だけカットして左右二分割した後、さらに甲板ごとに切り分けて型紙を作ります。

・船体の中心部分に付箋を貼って、船体上面に、切り分けた甲板の型紙を、中心線に沿ってすきまなく貼ります（**図5-2-7**）。

② 側面の整形

・精密のこぎりで余分な部分を大まかに切り取り、船体線図を参考にして側面をサンドペーパーで滑らかに整形します（**図5-2-8**）。

③ 仕上げ

・**図5-1-3**の船体線図の正面図を切り抜いて、半身の船体の該当する位置に当てれば、断面形状の差異が確認できるので、修正しながら船体の外形を仕上げます（**図5-2-9**）。

Step4：船体上部の加工

　船体上部のブルワークの形成と、甲板面に甲板をはめ込むための加工を行います。船体線図の側面図に上甲板と後甲板の甲板面を破線で示していますが、この位置に甲板を設置できるように船体を削り、舷側を残してブルワークにします。

① 切削範囲の記入

・切削範囲を最小限にするため、上甲板、後甲板とも外から見える部分より若干広い範囲だけを実装します。具体的には**図5-1-3**の側面図に太い点線で示した範囲です。

・切削は、船体ブロックをばらして行います。側面図を用いて接合面に削除する範囲を描き込みます（**図5-2-10**）。

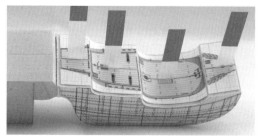

図5-2-7　甲板型紙の貼付け

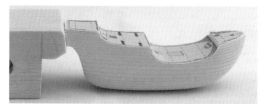

図5-2-8　側面の整形

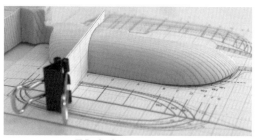

図5-2-9　断面形状の確認

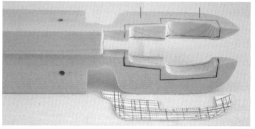

図5-2-10　甲板面の加工

・先に境界にナイフで切り込み
を入れます。特にブルワークとし
て残す部分は、舷側に沿って1
mm程度内側にナイフを入れま
すが、木目の影響を受けて曲が
りやすいので、慎重に作業しま
す。ナイフは薄刃のものが作業
しやすいです。

② 上部の整形

・上、前後、手前からナイフで
切り込みを入れると、その部分
を取り外せますが、無理をする
と船体の外板を突き破ってしまう
ので、少しずつ削り取ります。

③ 仕上げ

・一通り削り終えたら、ブルワー

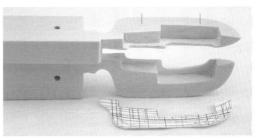

図5-2-11　甲板面の削除

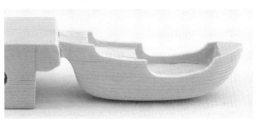

図5-2-12　甲板面の仕上げ

クの形状をサンドペーパーで整え、左右の船体を合わせて、甲板設置面を平坦にします
（**図5-2-12**）。

Step5：キールの連結と整形

① キール平板の連結

・船体部の連結用真鍮線を抜
いて、船体ブロックより大きい厚
さ1mmの平板の上に右船体を
置き、船首と船底をキール寸法
分ずらして取り付け位置を決め
ます。

・グリップの2か所のネジ穴にド
リルを入れて平板に3mmの穴
をあけ、M3ボルトで右船体と
平板の連結を確認します（**図5
-2-13**）。

② 船体部分の連結

・一旦平板と右船体の連結を
外して、右船体の連結用の穴

図5-2-13　キール平板の追加

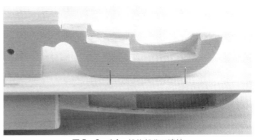

図5-2-14　船体部分の連結

に短い真鍮線を入れ、平板に
連結位置をマーキングします。

・0.5mmの穴をあけた後、真
鍮線0.5mmφの連結ピンを刺し
て平板と船体が問題なく連結で
きることと、キール取り付け位置
に問題がないことを確認します
（**図5-2-14**）。

図5-2-15　キールの整形

③　キールの整形

・船体とキールの平板を、ネジと真鍮線で連結し、平板に余分な部分をカットするため
のキールの外形を描きます。平板を取り外してカットした後、再度連結して細部をサンド
ペーパーで仕上げます（**図5-2-15**）。

Step6：船体の塗装

　グリップの切断と船尾の整形は後ほど行いますが、ここで船体の完成部分の塗装を
行います。部品取り付けの際に接着剤が木の表面についてしまうと、塗装のむらが生
じるので、塗装は組み立て前に行います。

　塗装には木の質感が残り、木工用ボンドの接着力への影響が小さい水性の木部着
色剤が適当です。つやを出したい場合は木材用油性塗料も用います。木は繊維を切
断した部分、すなわち船首や船尾部分は塗料をよく吸い込みますので、ウエスなどに
塗料を少量付けて薄く塗っていきます。重ね塗りがきれいに仕上げるコツです。

5.3　パーツの製作

（1）甲板

①　甲板材の板目入れ

・実船の甲板は板張りですが、ここでは板張りを模した板目を描いて甲板を作ります。
材料は1×30×100 mmの平板で、木目と平行に基準の線を引きます。基準線を起点
に、板の両端に針で1mm間隔の穴をあけます。エッチングツールのリベット定規を使
用すると、等間隔に穴をあけることができます。

・次に両端の穴と穴をつなぐようにカッターナイフで浅く切り込みを入れて、1mm幅の
縦筋の列を作ります。木目の固い部分で切り込みが乱れることがあるので、切り込みと
木目が交差しないようにすると、きれいに仕上げることができます。

②　甲板材の継ぎ目入れ

・次に1mm幅の縦筋の間に、板の継ぎ目を入れます。小さなマイナス精密ドライバー

の先を1mm幅に削り、研いで平刃の彫刻刀のような治具を作ります。板の貼り方は**図5-3-1**のパターンがあるので、平板の縦方向に一定間隔の印を付けて、選択したパターンで治具を押し当てていくと、継ぎ目を入れることができます。釘の模様は微小のため省略します。

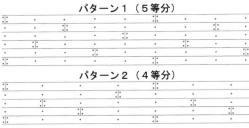

図5-3-1　板貼りのパターン

③　甲板材の仕上げ

・板目を入れ終わったら、4B程度の柔らかい鉛筆で切り込みの上をなぞり、ティッシュペーパーでこすって切り込みの溝に鉛筆の粉を擦り込みます。鉛筆を使用する理由は、墨や黒ペンなどの液体では、木の繊維に染み込んでにじんでしまい、きれいに仕上がらないからです。

図5-3-2　板目入り甲板材

・表面の汚れをサンドペーパーで落とすと、目地が黒く浮き上がります。透明塗料を薄く塗ると、一層目地がはっきりします（**図5-3-2**）。

④　甲板の整形

・平面図に従ってそれぞれの甲板形状に切り出しますが、上甲板と後甲板は前後を長めにして船体に隙間なくはめ込めるように整形します。形状が整ったら、甲板にマストやリギング留めを取り付けるための穴あけ加工をします（**図5-3-3**）。

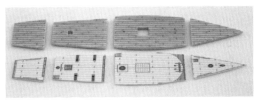

図5-3-3　甲板の整形

(2)　船首楼・船尾楼の外板

　船首楼と船尾楼の後方部分の外板は、板目入り甲板材を利用して作ります。特に船首楼後方は、アーチ状の曲面の板張りですので、次のように作ります。

①　外板材の加工

・甲板材の縦の切り込みを若干深くして長方形に切り取り、切り込みのある面にマスキングテープを貼ります。裏面をサンドペーパーで削って板厚を薄くすると、曲面に沿って曲げることができるようになります。

② 取り付け

・マスキングテープ面にアーチ状の外形を描き、不要部分をナイフでカットします。マスキングテープを貼ったまま裏面を接着すれば曲面にアーチ状の板張りを行うことができます。

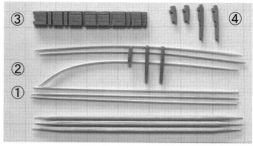

図5-3-4 レールと肋材

(3) 舷側のレール（**Rail**）と肋材（**Futtock-rider**）

　舷側には補強のために横方向のレールと縦方向の肋材（ろくざい）が取り付けられます。レールは船体の曲面に沿って取り付けるので、角材を三次元の曲面にきれいに張るのは難しいため、次のように作ります。

① レール材の加工

・竹を削って直径0.5mmの丸棒をレールの本数分作ります。竹串をサンドペーパーの上に並べ、角材に巻いたサンドペーパーで挟んで、前後に転がしながら削っていくと、均一に細くできます。

② レールの整形

・丸棒をお湯に浸けて柔らかくし、舷側の曲面に概ね合うように曲げ癖を付けます。丸棒は、どの方向にも曲げることができるので、舷側の取り付け位置の曲面に合わせて手で押さえて接着します。乾燥してから丸棒の表面をサンドペーパーで削って平らにすれば、角材を張ったように仕上がります。

③ 肋材の加工

・肋材は小さな部品で加工も複雑なため、胡桃などの固い平棒で作ります。厚さ1mm、幅5mmの胡桃の平棒を中央で切断し、幅2.5mmで長さ3cm程の板を数本作ります。板の両端だけに接着剤を付けて、すべての板を貼り合わせ、表面を平らにします。

・レールをはめる0.5mm幅の溝を、レールの取り付け幅に合わせて削ります。これは、薄い平やすりか、またはミニルーター加工ツールの切断砥石で削ります。

④ 肋材の整形

・溝を付けた面を、舷側の曲面に合うように凹状に削り、他面を滑らかな丸みのある形に整形します。肋材は取り付け位置によって、長さやレールの取り付け角度が異なるので、各個所に合わせて溝を微調整します。

（4）船べり（Gunwale）

上甲板と後甲板のブルワークの上端には船べりが取り付けられます。船べりも三次元形状で、90度近い曲げもあるため、1mm程の薄板で作ります。

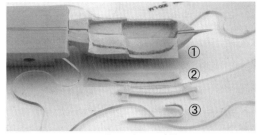

図5-3-5　船べりの製作

① 三次元形状の把握

・三次元形状を二次元に変換するため、トレーシングペーパーをブルワークに当てて、鉛筆でなぞって三次元形状を二次元に写し取ります。

② 薄板の加工

・トレーシングペーパーに転写された形状通りに、雲形定規などを利用して薄板を切り出しします。その際90度近く曲げる個所は、木目と平行にします。このようにしないと、曲げた際に折れてしまいます。

③ 船べりの整形

・切り出した船べり材をお湯に浸けて柔らかくし、ブルワークに沿って曲げます。そのままテープで固定し、乾燥させて形状のくせを付けます。

（5）ラダーとヒンジ

ラダーと操作レバーはキールと同じ厚さ1mmの平板で作ります。ラダーとキールをつなぐヒンジは細かな部品ですが、真鍮帯板で作ります。

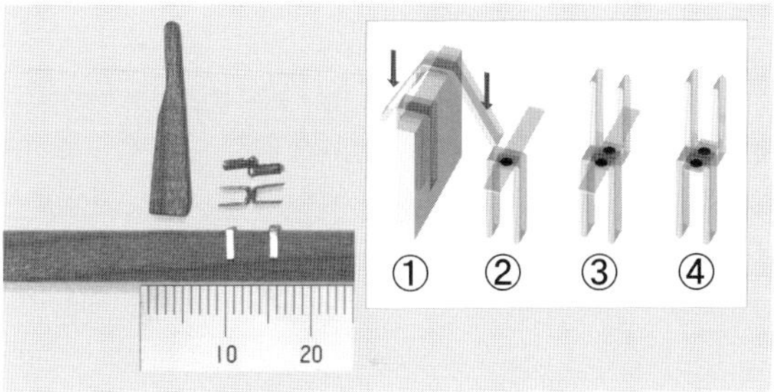

① ヒンジパーツの加工

・厚さ0.2〜0.3mm、幅0.7〜0.8mmの真鍮帯板を長さ10mmにカットします。これを角が直角の厚さ1mmの金属板などに押し当てて、コの字形に曲げます。ヒンジはコの字形パーツ2個を互い違いに接続して作ります。

② ヒンジの組み立て（下側）

・コの字形パーツの内側にハンダを盛り、支柱になる真鍮板または真鍮線に下向きにはめて上からコテを当て、ハンダ付けします。

図5-3-6　ラダーとヒンジ

③　ヒンジの組み立て（上側）

・次にもう一つのコの字形パーツを互い違いになるように上向きにはめて、ピンセットで保持しながらハンダ付けします。

④　ヒンジの整形

・支柱の上下の余計な部分をカットして、取り付け位置に合わせてヒンジの長さを切り揃えます。

(6)　甲板の手すり

　甲板の周囲の手すりは繊細な加工が必要なので、ミニルーター加工ツールで作ります。材料は胡桃などの密度が高く硬い木を使用します。

図5-3-7　手すりの加工

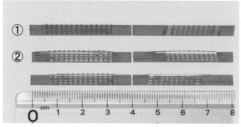

図5-3-8　甲板の手すり

①　支柱の加工

・ミニルーター加工ツールに切断砥石をセットし、厚さ1mm、幅4mmの胡桃平棒を砥石面と直交するように取り付けます。板は二枚重ねにしてたわみを防止します。板の上面を板厚の半分の0.5mm程度削り取り、一定間隔で残して手すりの支柱の列を作ります。船首楼、船尾楼は傾斜があるので、側面の手すりは甲板に取り付けた時に支柱が垂直になるよう、材料を保持した小型バイスを角度を付けて取り付け、斜めに支柱を削り出します。

②　横板の加工

・次に材料を裏返して砥石面と平行になるように取り付け、手すりの横板を削り出します。ミニルーターの高さを徐々に変えて切削の深さを増していき、裏面の支柱が見える深さまで削ります。これを横板の数だけ繰り返します。完成したパーツは薄く折れやすいので、取り扱いは要注意です。

(7)　階段（はしご）

　階段も手すりと同じ要領で、ミニルーター加工ツールで作ります。

①　角材加工

・厚さ2mm、幅5mmの胡桃平棒の左右を幅2mm程残して、中央部を底まで貫通

するように切断砥石で削ります。

② ステップ加工

・材料を切断砥石と15度ほどの角度になるよう取り付け、底面が少し残る深さまで斜めに削って櫛状のステップを作ります。

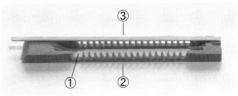

図5-3-9 階段の製作

③ 側板の取り付け

・櫛状のステップの上に幅2mm程の薄い側板を接着し、階段の長さに合わせて切断します。

(8) マスト・ヤード

図5-3-11がマストとヤードの製作図面で、73%に縮小すると実寸になります。図の寸法はマストおよびマストベースの起点からの長さを表しています。またマストの穴あけ個所は次の通りです。

　　前後方向の穴(▶━━の位置)
　　　マストを操作するステイ用
　　　ヤードの中央を固定するスリング用
　　横方向の穴(◯━━の位置)
　　　シュラウドやバックステイなどの静索固定用
　　　ヤードを水平に吊るリフト用
　　　マストを後方に倒すための回転軸用

　以下、マストの製作について説明します。

① マスト材の加工

・マストは3mmφの竹串をサンドペーパーで細く削って作ります。机の上でよく転がる真直ぐな竹串を選択して、ミニルーターで回転させ

図5-3-10 マストの細径化

ながらサンドペーパーで挟んで削ると、早くきれいに細径化することができます。下端の直径は1.5～2mmで、テーパーをつけた先端は1mm程にします。

② マストの穴あけ

・マストの穴あけは、糸を通すために穴の直径が0.5mm程度は必要なので、直径1～2mmのマストの中心を貫通するようにあけないと強度が低下して折れやすくなります。

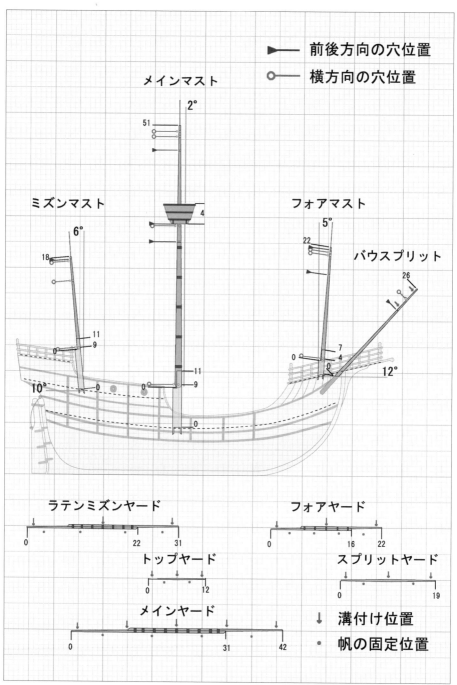

図5-3-11 マスト・ヤードの製作図面(73%に縮小すると原寸大)

・マストの穴あけにセンター穴あけドリルガイドを使用する場合は、マストが偏芯しないようにツールに固定して作業します。手作業で穴あけする場合も、マストの両端をドリルガイドのキューブに固定すると、直交方向の穴あけが容易になります。最初は0.3mmのドリルで穴あ

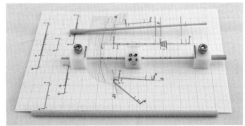

図5-3-12　マストの穴あけ

けし、あけた穴の傾きを確認しながら0.5mmに広げると、失敗が少ないです。

③　マスト固定の加工

・バウスプリットは直接船首に固定しますが、組み立ての際に力が掛かる個所なので、船体に差し込む部分を長めにして強度を保ちます。

・バウスプリット以外はマストベースで甲板に取り付けるので、マストの下端はパイプ状のマストベースの中で軸の周りに回転できるように半球形状に丸め、回転軸が球の中心を通るようにします。（**図5-3-14**参照）

④　ロープウエルディング

・実船では、ローワーマストは複数の材木が組み合わされているため、材木をまとめるロープが一定間隔で巻かれ、これをロープウエルディングといいます。ロープの結び方は棒結びと呼ばれる**図5-3-13**の方法ですが、この結び方はロープウエルディングの他、太いロープを束ねて細いロープで結束する際にも使えますので、是非結び方を習得してください。

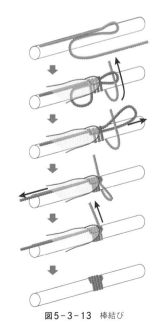

　次に、ヤードの製作について説明します。

⑤　ヤードの加工

・ヤードも竹丸棒を削って、両端に向けてテーパーをつけますが、強度が保てる範囲で極力細く作ります。2本を束ねた形のヤードは、細くした竹丸棒の重なる部分を平らに削ってから接着し、棒結びで数か所を縛ります。

⑥　ヤードの整形

・ヤードの穴あけはありませんが、**図5-3-11**の矢印の個所は動索のロープを取り付ける所で、テーパーによってロープが滑り抜けるのを防ぐため、エッチングのこぎりや薄いやすりを使って溝を付けます。

図5-3-13　棒結び

ヤード下のドットは帆を結ぶ位置で、複数個所で固定するので、ヤードの加工は不要です。

　最後はマストベースの製作です。マストベースはマストを所定の角度で甲板に取り付け、容器挿入時にはマストを後方に倒すための重要な部品です。その作り方を説明します。

⑦　マストベース
・マストベースは**図5-3-14**の形状です。材料は、外径2.0～2.5mm、内径1.5～2.0mmの真鍮パイプで、マストの下端の太さに合わせて、ちょうど挿入できる太さのパイプを選択します。
・船上でマストを極力水平に近い角度で倒すためには、回転軸を後方の構造物を避ける高さにする必要があります。そのためのマストベースの寸法は**図5-3-11**に示した通りです。

図5-3-14　マストベース

⑧　上部の加工
・マストベースの上側は、マストの回転軸を通すための0.5mmの穴を、パイプのセンターにあけます。穴の位置より下1.5mm、上3mm程のパイプ側面を、穴の際までヤスリで削り、ハーフパイプ状にします。こうすると、マストはパイプを残した方向には倒れず、さらにハーフパイプの上端を少し狭くしておくと、マストがカチッとマストベースに収まるようになりますので、マストを立てた時の保持が楽になります。

⑨　下部の加工
・マストベースの下側は、甲板に刺して固定できるように、前後方向に2本のピンを設けます。パイプ側面を削って2mmほどの長さのピンを残します。パイプの底面を斜めに削れば、甲板に対して斜めにベースが固定されるので、マストを所定の角度で立てることができます。

⑩　マストベースの取り付け
・マストをベースに挿入し、回転軸となる0.5mmの真鍮線を通します。マストがスムースに倒せることを確認してから、真鍮線の両端をかしめて回転軸が抜けないようにします。

（9）見張り台
　サンタ・マリア号のメインマストの見張り台は、丸桶のような形状です。

① 丸棒の加工

・材料は直径8mmの丸棒で、これを1cm程の長さに切って、中心に2mmの穴をあけます。次に6mmのドリルで2mmの穴を広げ、底面部分を残して掘り下げます。

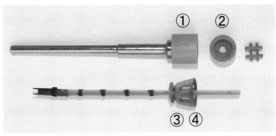

図5-3-15 見張り台の製作

② 側面の加工

・2ミリの穴にM2のネジを取り付けてミニルーターにセットし、サンドペーパーでまず端面を整え、次に側面を丸桶のようにテーパー加工します。その後、見張り台の高さになるよう端面を切り取ります。

③ 細部の整形

・バイスに固定して見張り台の上部を薄い平やすりで60度ずつずらして切り欠きを入れます。②で切り取ったリングをサンドペーパーで薄く削り、見張り台のリムとして上部に接着します。

④ 見張り台の組み立て

・底面にシュラウドのロープを通す穴を左右2か所にあけ、底面にクロスツリーを取り付けます。

(10) セイル・フラッグ

　セイル、フラッグなどのカラー図案は、口絵の**写真3**に示します。

　セイルは帆船模型にとって帆布の質感と風を受けてはらむ躍動感のリアリティーを出すのが難しい要素です。加えてボトルシップでは容器挿入の際にコンパクトにまとめられ、挿入後は元の形に復元できる素材が求められます。今回は帆にイラストを印刷するので、布目の表面加工がされていて適度に硬さのあるカット紙を使用します。

① セイル

・カット紙に口絵**写真3**の図案を原寸大で印刷し、セイルを切り取ります。

・それぞれのセイルの裏面上部に補強用の0.4mmの真鍮線を接着します。

・セイルは**図5-3-11**に示した位置でヤードに糸で縛って取り付けるので、真鍮線の下側に針で糸を通す穴をあけます。また、帆の下端の角もシートを結ぶので、穴をあけます。

② フラッグ

・フラッグはセイルよりも細かい図案ですので、印刷には発色がよいインクジェットプリン

タ用ホワイトラベルを使い、旗の両面を展開した図柄を印刷します。旗竿は0.5mmの真鍮線を使い、上端をプライヤーでつぶして丸くして竿頭にします。ホワイトラベルは粘着性なので、真鍮線を挟んで貼り合わせ、風にたなびいたように造形します。

（11）滑車

使用する滑車はシュラウド用のデッドアイ（三つ目滑車）、ステイ用の組み合わせ滑車、一般の滑車の3種類です。滑車の大きさは、帆船模型用に市販されている最少直径のものは2mmですが、ボトルシップには大きすぎるので、**図5－3－16**の手芸用のビーズコーナーで入手できる極小つぶし玉や真鍮パイプを切断したリングを用います。

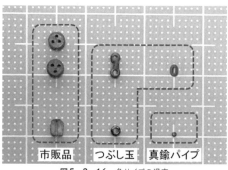

図5-3-16　各サイズの滑車

①　デッドアイ

・シュラウドはデッドアイ2つを使った組み合わせ滑車で取り付けますが、ボトルシップのスケールで忠実に実現するのは難しいので、つぶし玉2つをつないだもので代用します。つぶし玉の連結は強度的にハンダ付けが

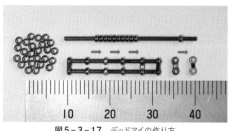

図5-3-17　デッドアイの作り方

必要で、一定の間隔でハンダ付けをするために、次の手順で作業を行います。

・直径1.5mmのつぶし玉は内径が0.9mmなので、0.9mmのシャープペンの替芯を用意し、つぶし玉を通してから替芯2本の両端を2mm程度の間隔で固定します。

・上下のつぶし玉にハンダを少し盛り、つぶし玉を回してハンダスポットを向かい合わせてから、ハンダスポット間にハンダを溶かし入れて連結します。ハンダフラックスを多めに使うと、きれいに仕上がります。

・連結したつぶし玉を治具から外して、やすりで外形を整えます。

②　組み合わせ滑車

・ステイの連結に使われる組み合わせ滑車は、つぶし玉を扁平につぶして作ります。つぶし玉に0.5mm程のドリルの刃を通してつぶすと、糸を通す空間を確保できて大きさが揃った扁平の滑車が得られます。

・本船はメインステイで組み合わせ滑車を使用しますが、ステイの固定部はロープが

二股に分かれており、2か所を扁平の滑車で船首楼甲板に固定します。この部分は船首楼甲板を船体に取り付ける際に、予め取り付けておく必要があるので、**図5-3-18**のように船首楼甲板の穴あけ加工を行い、扁平の滑車は棒結びで結束をしておきます。

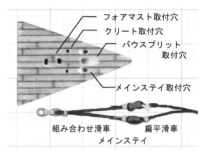

図5-3-18　メインステイ固定部

③　一般滑車

・最後は一般の滑車です。スケール換算では0.5mm程度になり、つぶし玉より随分小さくなります。そこで、外径0.8mm内径0.4mmの真鍮パイプを厚さ0.5mm程に切断したリングを滑車に用います。パイプカッターの要領でパイプをナイフで押さえて回しながら数回往復させると手作業でも切断できますが、ミニルーター加工ツールでカットすると厚みのそろったリングが得られます。リングの切断面をサンドペーパーで平坦にした後、0.4mmのドリルで穴をさらっておきます。この滑車は小さいので、ピンセットでつかみ損ねるとどこかに飛んで行ってしまいます。また、ツールで紹介した極細糸通し（ワイヤー針またはミシン糸用）を使用しないと、糸を通すことは難しいので、これ以上小さな滑車の適用はできません。

（12）　クリート・アイボルト・ファイフレール・ピンレール

　クリート、アイボルト、ファイフレールとも、ロープを結びつける器具です。小さな部品ですが、ロープのテンションがかかるので、真鍮で作ります。

①　クリート

・T字形をしており、ビーズ用のTピンの丸い頭をTの形に削って作ります。

②　アイボルト

・0.5mmの真鍮線の先をプライヤーでつぶして円形に整

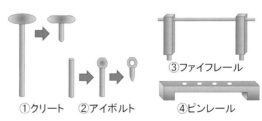

図5-3-19　結束器具

形し、中心にドリルで0.4mmの穴をあけて作ります。

③　ファイフレール

・マストの周囲でロープを結びつけるためのレールで、2本の支柱の間に横板を渡した形状で、真鍮角材と真鍮丸棒を組み合わせて、または固い平板を削って作ります。

④　ピンレール

・厚さ2mmの固い材質の平板を使い、幅1mmの中央に0.5mmの取り付け穴を複

数あけ、両端に足を残してコの字形のレールに仕上げます。

(13) アンカー
　本船のアンカーはストックアンカーと呼ばれるタイプで、金属製の爪と支柱とリング、爪に直交する木製のストックからなります。

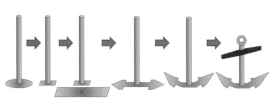

図5-3-20　アンカー

・支柱はビーズ用の真鍮製Tピンを用い、丸いヘッドを支柱と同じ幅に削ってTの形にします。

・幅2mm、厚さ0.2mmの真鍮平板にTピンのヘッドをハンダ付けします。

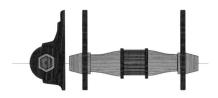

図5-3-21　巻き上げ機

・Tピン位置を中心に平板を3mm程ヘッドの幅まで細く削り、両端をニッパーで爪の形にカットします。

・左右の爪を曲げます。

・1mm角の木片の中央に0.5mmの穴をあけ、両端を細くして支柱に通します。

・支柱を所定の長さに切って、その端をプライヤーでつぶし、アイボルトと同じ要領で穴をあけて、アンカーロープを通すリングを作ります。

・爪と直角になるようにストックをリングの近くに接着します。

(14) 巻き上げ機
　アンカーの巻き上げ機は図5-3-21の形状で、ロープを巻くドラムと、それを支えるフレームからなります。ドラムは竹の丸棒を削り、フレームは平板を2枚重ねて、同一形状になるように削ります（図5-3-22）。

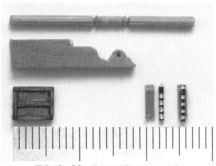

図5-3-22　巻き上げ機・ハッチ・大砲

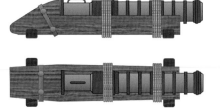

図5-3-23　大砲

（15）大砲

　本船の大砲は**図5−3−23**の古いタイプの鍛鉄製キャノン砲です。砲身を複数の
バンドで補強しており、木製の台に固定されています。砲身は外形0.8mm内径0.4
mmの真鍮パイプを黒く塗り、ミニルーターに付けて、薄い平やすりでバンド部分を黒く
残して他を削ります（**図5−3−22**）。6mmの長さに切断して、2×6mm程の木片に
溝を付けた砲台に接着します。

（16）ランタン

　ランタンは直径1mm、長さ3mm程の大き
さですので、細かな細工はできませんが、外
形0.8mm内径0.4mmの真鍮パイプで作り
ます。

・真鍮パイプの先端を少し残してパイプの
両側面を薄い平やすりで削り、長さ2mm程
の窓を開けます。

・パイプの中に明かりに見立てた赤い光沢

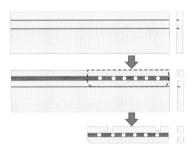

図5−3−24　ランタン

紙などを入れ、窓の部分を透明の接着剤などで覆います。

・パイプを3mmの長さに切断して、先端カバーを付け、下端は船体に取り付けるため
の0.4mmの真鍮線を差します。

（17）チャンネル

　実船ではシュラウドのデッドアイはチェイン
プレートと呼ばれる金属プレートでチャンネル
を通して舷側に固定しますが、これは製作
困難なのでデッドアイはチャンネルにロープで
直接固定します。**図5−3−25**がチャンネ
ルの形状です。

・チャンネルは厚さ1mmの固い材質の平板
を使います。側面から1mmと2mmのところ
に平行に線を引きます。

図5−3−25　チャンネル

・1mmの線を平やすりで削って溝を付け、その溝にデッドアイの個数分、0.5mmの穴
を1.8mmピッチであけます。溝を付けた面がチャンネルの下面になります。2mmの線
にナイフを入れて切り離し、両サイドをチャンネルの長さに合わせて切断します。チャン
ネルは舷側のレールに接着するので、肋材にあたる部分に切り込みを入れ、隙間なく
取りつけられるようにします。

製作したサンタ・マリア号のパーツ一式を、**図5-3-26**に示します。

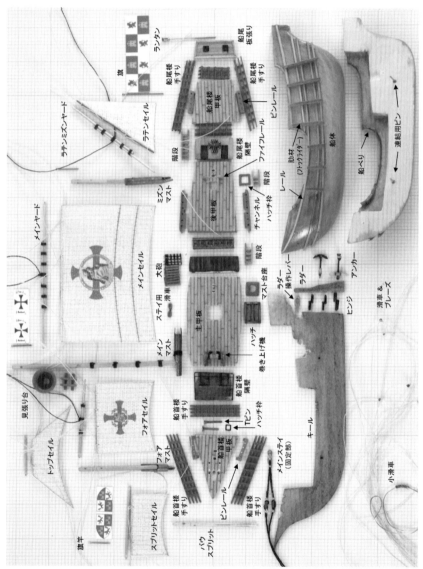

図5-3-26　パーツ一式

5.4 組み立てとリギング

（1）船体の組み立て

① レールと肋材の取り付け

　側面図のレールと肋材の交点に針で穴をあけて舷側にテープで留め、穴に針を刺してレールと肋材の取り付け位置をマーキングします。針の穴を船首から船尾までつなぐように、薄い平やすりか極細丸やすりで、舷側にレールを取り付けるための幅1mmの細い溝を付けます。

　溝に木工用ボンドを塗って、レール用に癖を付けた竹の丸棒を、接着剤が乾くまで手で押さえて固定した後、丸棒に軽くサンドペーパーをかけてレールの表面を平らにします。肋材をレールに当てて切り欠きの位置を微調整し、左舷・右舷の取り付け位置と角度を合わせて舷側に接着します。

② 船べりの取り付け

　曲げておいた船べりの部品を、再度水に浸けて柔らかくした後、ブルワークに密着するように押さえて接着します。

③ 船体の切り離し

　グリップから船体を切り離し、左右船体とキールを接着して船尾の形状をサンドペーパーで整えます。切り離したグリップは、中板を外してキールを挟み、船体を保持する工作台として利用します。

④ 甲板と外板の取り付け

　船首楼甲板のメインステイ固定部、上甲板のハッチ、巻き上げ機をそれぞれ事前に取り付けてから、各甲板を船体に接着します。マスト、ピンレールは後工程で取り付けます。船首楼・船尾楼に板目を描いた外板を張ります。

⑤ 手すりの取り付け

　船首楼甲板、後甲板、船尾楼甲板に手すりを取り付けます。手すりは微細な構造で非常にもろいので、以降の作業で破損しないように注意が必要です。

⑥ ラダーの取り付け

図5-4-1　船体の組み立て

　ラダーに操作レバーとヒンジを接着します。ラダーの背にアイボルトを取り付け、通した糸を船尾に取り付けた2つのアイボルトに結びます。キールにヒンジがはまることを確認します。ここではヒンジを接着せずに取り外せるようにしておきます。

概ね船体が組み上がった段階で、マストを甲板に仮付けして、容器に挿入できることを確認しておきます。この段階で挿入できなくても、まだ修正は可能です。

想定通りラダーを外せば、容器に挿入できました（**図5-4-1〜3**）。

図5-4-2　容器挿入事前確認1

図5-4-3　容器挿入事前確認2

⑦　アンカーの取り付け

船首楼手前のブルワークに0.5mmの穴をあけてアンカーを縛り固定します。アンカーロープは端に黒く塗ったつぶし玉を接着し、つぶし玉を船首のアンカーホールに押し込んで固定します（**図5-4-4**）。

⑧　大砲の取り付け

大砲は後甲板に取り付けますが、砲門はシュラウドのロープの間に設けられます。

図5-4-4　アンカーの取り付け

位置合わせが微妙ですので、現物合わせで砲門位置に穴をあけ、そこに黒く塗ったつぶし玉をはめて砲門にします。砲門から砲身が若干出るように、後甲板に台座と大砲を固定します。

⑨　階段の取り付け

階段を設置位置の高さに合わせて切って、上甲板−後甲板間、後甲板−船尾楼甲板間に取り付けます。

（2）マスト・ヤード・セールの組み立て

動索用の糸を含めて組み立てはすべて麻色の#90の細い糸を使います。注意事項としては、糸を結んだ後の結び目に木工用ボンドを付けて糸が解けないようにします。

① セイルをヤードに取り付け

帆は、上部にあけた穴に糸を通して補強の真鍮線に二結びした後、ヤードの所定位置に二結びして取り付けます（図5-4-5）。

② ヤードをマストに取り付け

帆を付けたヤードの中央に糸を一結びします。その糸を2本まとめて、マストにあけたヤード取り付け用の穴に前面から通し、再度糸を前面に回して二結びします。このように取り付けると、ヤードの回転が容易になります（図5-4-6）。

③ ヤードにリフトを取り付け

ヤードの先端に付けた溝に糸を二結びしてマストにあけたリフト用の穴を通します。ヤードの反対側の先端に糸を二結びし、リフトを取り付けます。この段階ではリフトはマストに固定せず、ヤードの傾きが自由に調整できるようにします（図5-4-7）。

④ ヤードの滑車の取り付け

ブレース用の滑車をヤードの先端に取り付けます。外れないようにリフトの内側に一結び、リフトの外側に二結びします。直接ブレースを取り付ける場合も、同じようにリフトを絡めて結びます。なお、帆の下端の角に結ぶシートは、後工程で取り付けます。

(3) シュラウド・バックステイの組み立て

シュラウドやバックステイはシュラウド組み器で作りますが、図5-4-8に示した寸法で縦糸の傾きと長さを合わせて作らなければなりません。シュラウド組み器は、図の直角三角形の底辺と頂点の位置にピンを立てて、メインのシュラウドとバックステイの底辺はデッドアイ滑車を用い、フォアとミズンのバックステイの底辺は通常滑車を用いて図の寸法で組み上げます。念のため、船体とマストを仮組した時に、実寸を確認すると確実

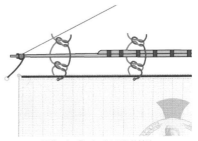

図5-4-5 セイルの取り付け

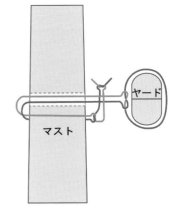

図5-4-6 ヤードの取り付け

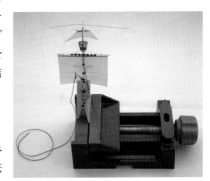

図5-4-7 メインマストの組み立て

です。以下、シュラウドの製作手順を説明
します。

① デッドアイの加工

二つのデッドアイの三つ目の間をつなぐ
ロープ（ラニヤード）を模擬するために、**図
5−4−9**のように連結した上下の滑車間
に麻色の糸を三回通します。最後は下穴
から出してデッドアイの固定に用います
が、チャンネルに通すために二本の糸の
端を木工ボンドでまとめておきます。デッド
アイを押さえて作業すると、糸を通しやす
いです。

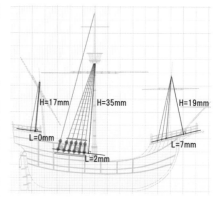

図5−4−8　シュラウドの寸法

② シュラウド縦糸の結束

デッドアイにシュラウドの縦糸を結びま
す。縦糸は＃50の黒色の糸を使用します
が、上の滑車に直接結ぶのではなく、穴
に通して麻色の細い糸で棒結びにして固
定します。**図5−4−10**のようにデッドア
イの下側の滑車を金属棒に差し、縦糸を
クリップで挟んでピンと張ってから作業しま
す。結束後の形状を拡大図に示します。

図5−4−9　デッドアイの加工

③ シュラウドの組み立て

シュラウド組み器のピンにデッドアイの下
の滑車を差して必要本数取り付けます。
縦糸を収束点のピンを経由して順番に仮
止めします。こうして左右のシュラウドの縦
糸を対称に張ります。（**図5−4−11**）

図5−4−10　シュラウド縦糸の結束

④ ラットライン張り

シュラウド組み器の横方向のガイドラインに合わせて黒色の細い糸でラットラインを張
ります。ラットラインは、端の縦糸には二結びで、途中の縦糸には**図5−4−12**の巻き
結びで、横の間隔を調整しながら結んでいきます。上部の収束点に近づくほど縦糸が

込み合うので、適宜縦糸を飛ばしてラットラインを結びます。

⑤　結束の補強

　ラットラインを張り終えたら、縦糸を強く張り直して収束点を別の糸で固く結びます。その後ラットラインの間隔を整えて、木工用ボンドを水で溶いて結び目に塗って固めます。

⑥　デッドアイの固定

　デッドアイの固定用糸をチャンネルの穴に通します。チャンネルの下面の溝に細い金属線をあてて、デッドアイの固定用糸を結んでいきます。この時デッドアイの向きが揃うように固定用糸の方向を揃えます（**図5-4-13**）。

⑦　整形

　余分な糸を切断します。ラットラインの端の結び目を切ってしまわないように、注意深く切断します。縦糸は1本をマストへの取り付け用に残して、他の糸は収束点のところで切断します。バックステイも、シュラウドと同じようにチャンネルやピンレールに取り付けます。

図5-4-11　シュラウドの組み立て

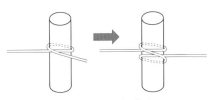

図5-4-12　巻き結び

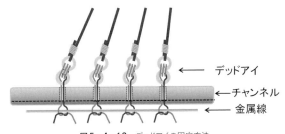

←　デッドアイ

←チャンネル

←　金属線

図5-4-13　デッドアイの固定方法

（4）リギング

① 船体の固定

　リギングを行うために、**図5－4－14**のように船体をグリップの台とともに組み立てフレームにテープで固定します。

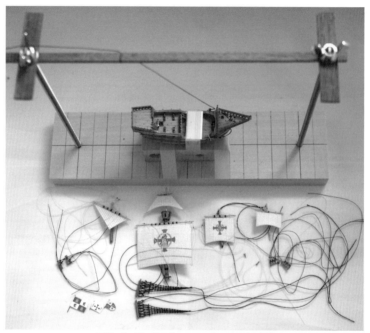

図5－4－14　組み立てフレームとリギングの準備

② マストの固定

　バウスプリットは直接船首楼甲板に接着します。他のマストはマストベースを甲板に差して静索を張れば固定できますが、リギングを容易にするためにマストベースを甲板に接着します。接着剤が硬化するまではマストの前後方向の角度を維持し、左右はバウスプリットからミズンマストまで一直線に並ぶように保持します。

　表5－4－1がリギングの一覧表です。NO.は**図5－1－2**と対応しています。表のグレーの部分は静索で黒色の#50の糸、他の動索は麻色の#90の糸を使用します。セイルはミズンマストのラテンセイルを除いて船の進行方向に直交するように取り付けます。リギングは概ね表の番号順で行いますが、From（先に接続）－To（後で接続）で、結びにくい所から先に接続作業をします。

部位	NO.	リギング	From（先に接続）	To（後で接続）
ステイ	S11	フォアステイ	バウスプリット先端に3個の組み合わせ滑車で固定	フォアマスト最上部の穴を通す
	S21	メインステイ	二股に分けたロープで船首楼甲板に直接固定	組み合わせ滑車を経由してメインマストの見張り台下の穴を通す
	S31	ミズンステイ	ローワーメインマストに固定	組み合わせ滑車を経由してミズンマスト最上部の穴を通す
バウスプリット	R01	スプリットセイルブレース	船首楼甲板のピンレールに固定	スプリットヤードに固定
	R02	スプリットセイルシート	船首楼甲板のクリートに固定	船首楼手すりの間を通してスプリットセイルの下縁に固定
フォアマスト	S12-14	フォアマストバックステイ	船首楼甲板のピンレールに固定	フォアマスト先端に固定
	R11	フォアセイルブレース	フォアヤード先端の滑車にブレースを通す	後甲板の手すりにブレース2本を固定
	R12	フォアセイルシート	舷側中央のアイボルトに固定	フォアセイルの下縁に固定
メインマスト	S22	シュラウド	チャンネルを舷側中央に固定	見張り台に固定
	S23	メインマストバックステイ	チャンネルに固定	メインマスト先端に固定
	R21	メインセイルブレース	メインヤード先端の滑車にブレースを通す	船尾楼甲板のピンレールにブレース2本を固定
	R22	メインセールシート	船尾の舷側アイボルトに固定	メインセイルの下縁に固定
	R23	トップセイルブレース	トップヤードの先端に固定	ミズンマストの滑車を経由して後甲板のファイフレールに固定
	R24	トップセイルシート	メインヤードの先端に固定	トップセイルの下縁に固定
ミズンマスト	S32-33	ミズンマストバックステイ	船尾楼甲板のピンレールに固定	ミズンマスト先端に固定
	R31	ラテンセイルブレース（前）	ミズンヤード前方先端に固定	後甲板のファイフレールに固定
	R32	ラテンセイルブレース（後）	ミズンヤード後方先端に固定	船尾楼甲板の手すりに固定
	R33	ラテンセイルシート	ラテンセイルの下縁に固定	船尾楼甲板の手すりに固定

表5-4-1　リギング一覧表

④　操作用ステイの取り付け

　フォアステイ(S11)はバウスプリットの先端に3個の組み合わせ滑車で固定し、メインステイ(S21)、ミズンステイ(S31)は2個の組み合わせ滑車を介して固定します。**図5-4-15**が組み合わせ滑車の詳細図で、3個の組み合わせ滑車は外径0.8mmの滑車を用います。先に頂点の滑車にフォアステイを結び、残りの2つの滑車にそれぞれ麻色の糸を結んでから、3個の滑車を麻糸で一重結びしながら、ひし形になるように結合し、バウスプリットに固定します。

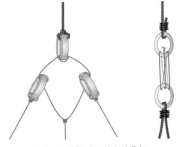

図5-4-15　組み合わせ滑車

2個の組み合わせ滑車は、つぶし玉を楕円に変形した滑車にステイを棒結びでつなぎ、滑車間を麻色の糸で3周回して連結します（図5-4-16）。

図5-4-16　2個の組み合わせ滑車

　ステイは各マストのステイ用の穴に通します。前方からフォア、メイン、ミズンの順でステイを引いてマストを所定の角度で立て、ステイを組み立てフレームに仮止めします（図5-4-17）。

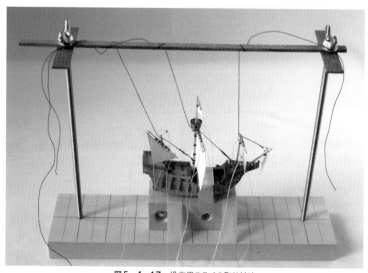

図5-4-17　操作用ステイの取り付け

⑤　バウスプリットのリギング

　フォアマストの3本のバックステイ（S12-14）とスプリットセイルのブレース（R01）を取り付けたピンレールを、先に船首楼甲板に接着します。その後、ブレースを直接スプリットセイルのヤードに結び付けます。次にクリートにシート（R02）を結んで甲板に接着した後、手すりの間から糸を出してスプリットセイルの下縁に結びます。

⑥　フォアマストのリギング

　バックステイ（S12-14）はマスト上部の穴に左右から糸を通して二結びします。フォアセイルのブレース（R11）は滑車に通した2本の糸を後甲板の手前の手すりに結びます。シート（R12）を結んだアイボルトを舷側に取り付けて、フォアセイルの下縁に結びます。

⑦　メインマストのリギング

シュラウド(S22)は、チャンネルを
舷側のレールの所定位置に接着し、
左右のシュラウド結束用の糸を、見張
り台底面の左右の穴から通して二結
びします(図5-4-18)。

バックステイ(S23)はマスト上部の
穴に左右から糸を通して二結びしま
す。

図5-4-18　シュラウドの取り付け

メインセイルのブレース(R21)は滑
車に長めの糸を通して、その先を船
尾楼甲板のピンレールに通しておき、
ピンレールを甲板に接着した後で糸
がたるまないように結びます。シート
(R22)を結んだアイボルトを船尾の舷
側に取り付けてから、メインセイルの
下縁に結びます。

トップセイルのブレース(R23)はヤー
ドに結び、ミズンマストの滑車を通
して後甲板のファイフレールに結びま
す。シート(R24)は事前に検討した通

図5-4-19　動索の取り付け

り、メインヤードに両端を結ぶと、容器挿入の際にヤードを回転させることができなくなる
ので、メインヤードの先端に長めの糸を結び、その先端をトップセイルの下縁の穴に結
ばずに通しておきます。結束は容器に挿入した後に行います。

⑧　ミズンマストのリギング

バックステイ(S32.33)は左右の糸をミズンマスト上部の穴に左右から通して二結びし
ます。ヤードの上端(R32)とラテンセイルの下縁のシート(R33)は後部の手すりに結び、
ヤードの下端(R31)は後甲板のファイフレールに結びます。

5.5 容器と固定方法

(1) 容器の製作

　容器はボール型白熱電球(口金E26、直径95mm)の透明ガラス球を使用します。**図5−5−1**が白熱電球の構造で、フェノール樹脂で口金とガラス球が接着されており、これを分解して容器を作成しますが、ガラスは薄く割れやすいので、手袋や安全メガネなどを装着し、怪我をしないように注意深く作業を行います。

① 切断

　安全に切断するために口金にガムテープを巻き、ミニルーターの切断砥石で口金の上に近いところを切断します。無理に力を加えると接着剤との境目でガラスが欠けてしまうので、ゆっくり少しずつ切り進めます。一周切断すると、口金とフィラメントの支柱が外れます。なお、白熱電球の封入ガスは窒素や不活性ガスなので無害です。

切断箇所

接着剤

② 研磨・洗浄

　切断面を＃240のサンドペーパーで研磨し、滑らかに整

図5−5−1 電球の構造

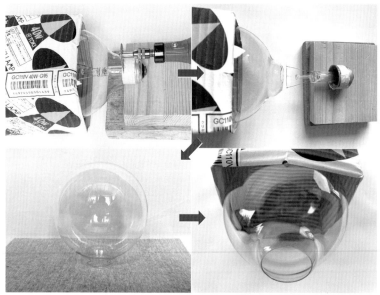

図5−5−2 白熱電球の切断

えたら、無水アルコールや純水で内部を洗浄します。

（2）船体の固定

船体の固定は、全体がよく見えるように球状の容器の開口部を下にして、封止を兼ねた木製ベースにペデスタルを2本立てた台座で固定します。構造を**図5−5−3**に示します。

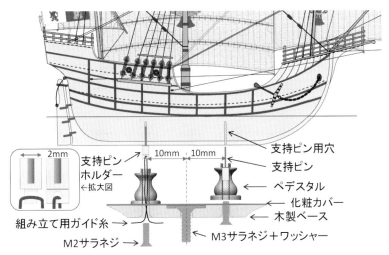

図5−5−3 船体の固定方法

① 木製ベース

・木製ベースは円盤状で、容器の湾曲に合わせて側面にテーパーを付けます。開口部より大きい木製ベースを容器に入れるためには、**図5−5−4**のようにセンターで二つ折りにします。26mmの開口部から入れられる最大寸法は、板厚6mmの場合、円盤直径は49mm（（13+11.5）×2）になります。

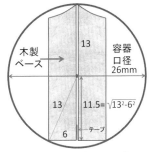

図5−5−4 木製ベース寸法

・木製ベースは加工が容易なバルサ材で作ります。直径50mmの円を描き、荒く切り出して、中心にM3のネジを取り付けます。ルーターに円盤を付けて、直径49mmに整形した後、側面にテーパーを付けます。上面に木目と平行になるように中心を通る直線を引きます。この線と直行する直径上の中心から10mmのところにペデスタル取り付け用の2mmの穴を2つあけ、下面はサラネジ用の座ぐりをします。

・木製ベースを塗装して、カッターナイフを用いて先ほどの中心を通る直線で二分割し

ます。ナイフで切ると材料の欠損がないので、貼り合わせるときれいに元の形に復元できます。分割したベースは、上面にテープを貼って折りたためるようにします。

② ペデスタル

　船体を支えるペデスタルは、10mmにカットした桧丸棒の中心にM2のネジを切ってボルトをはめ、ルーターに取り付けてやすりで削り出します。船体とペデスタルの結合は、ペデスタルの上部に溝を付けてキールをはめ込み接着しますが、これだけでは船体を垂直に支持することが難しいので、船体に金属のピンを挿入し、垂直支持をサポートします。このため、船体支持位置のキール中央にピンを挿入する0.5mmφの垂直な穴をあけ、ペデスタルの上部には長さ4mmの真鍮線を支持ピンをホルダーに刺して取り付けます。なお、ホルダーはこの後説明するガイド糸を通すために下端側面を削って横方向に穴をあけます。最終的にペデスタルは木製ベースの下からM2のサラネジで固定します。

③ ガイド糸

　キールに支持ピンやペデスタルを取り付けた状態では容器に挿入することができないので、容器の中で船体とベースを固定するためにガイド糸を用います。支持ピンホルダーの穴に30〜40cmのガイド糸を通して、ペデスタル、化粧カバー、木製ベースの順で糸を通します。支持ピンをホルダーごとキールに取り付けてから、ガイド糸を引いてそれぞれの部品を誘導すれば、結合部の位置合わせが容易にできます。具体的な組み立て手順は、次節の「最終組み立て」で説明します。

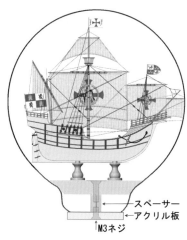

図5-5-5　完成予想図

　図5-5-5が完成予想図です。木製ベースのM3サラネジに、長さを調整したM3真鍮スペーサーを取り付け、スペーサーに直径30mmのアクリル円板をネジ止めして木製ベースを固定し、ガラス容器の口をふさぎます。

5.6　最終組み立て

　図5-6-1が最終組み立て前の全パーツです。組み立ては次の手順で行います。
(1)船体の容器挿入
(2)船体の組み立て
(3)ベースの挿入と船体の固定
(4)仕上げ

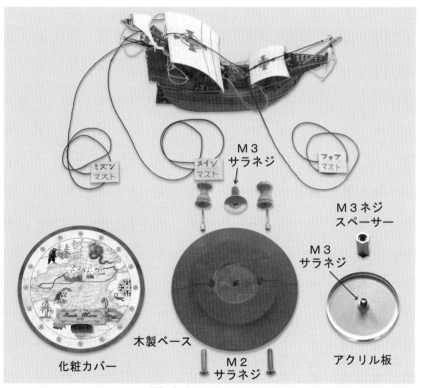

図5-6-1　最終組み立てパーツ

（1）船体の容器挿入

　船体挿入後に後付けするラダー、メインマストフラッグ、船尾フラッグを外した状態で船体を折りたたみ、容器に挿入します。

①　船体の組み立ての際に使用する操作用の糸は下記の2種類で、識別用のタグを付けて絡まないようにピンチで止めておきます。マスト操作用のステイをミズン→メイン→フォアの順番に緩めてマストを倒します。
　　　　・フォアマスト（S11）、メインマスト（S21）、ミズンマスト（S31）のステイ…3本
　　　　・メイントップセイル－メインヤード間のシート（R24）…2本

②　船首側は問題なく容器に挿入できます。船尾側はぎりぎりの寸法ですが、キールの後端を入れることができれば全体を挿入できるので、**図5－6－2**のように船尾から入れます。メインマストを倒した状態でトップセイルのシートを緩めてメインセイルを少し丸めると、メインヤードを回転することができます。セイルにしわが付かないように注意してマスト、セール、ヤードをコンパクトにまとめて、徐々に力を加えながら挿入します。

図5-6-2　船体挿入中

③　挿入の際にパーツの破損、接着の剥がれ、糸の結束の解けなど、結構壊れることがあります。船体を挿入できたら一度破損がないか確認します。容器内での修復が困難な破損が生じていたら、迷わず船体を取り出し、修理して挿入からやり直します。船体の組み立てには木工用ボンドを使用しているので、接着箇所に水を加えれば容易に解体でき、何度でもやり直しがききます（**図5－6－3**）。

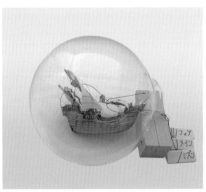

図5-6-3　船体挿入後

（2）船体の組み立て

① 船体の組み立てを行うために、球状の容器をおわん状の器（例えば丸いタッパーなど）に入れてテープで固定し、容器を保持します（**図5-6-4**）。

② 操作用の糸のからみを整えて、フォア→メイン→ミズンの順番でマスト、ヤード、セイルをかぎ針の治具を使って元の位置に戻し、復元に問題がないことを確認します。

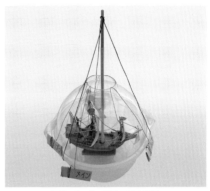

図5-6-4　船体の組み立て

③ マストを最終位置に固定します。V字の溝を付けた発泡スチロールブロックなどで船底を支えて、容器に接する船首や船尾のパーツを壊さないように、綿棒の押さえ治具で船体を下方向に押して保持します。ステイがたるまないように張るためには、まずフォア、メイン、ミズンのマストを立てて各ステイをテープで容器に仮止めし、その上でフォアステイを強く引いてピンと張った状態でフォアマストを最終位置に保持し、マストの貫通穴に接着剤を塗って操作用ステイを固定します。接着剤が硬化したら、メインマスト、ミズンマストの順で同じように操作用ステイを固定していきます。

④ ヤードとセイルを最終位置に固定します。各ヤードを水平にしてリフトの中央を接着剤で固定します。トップセイルのシートをピンセットでセイルに一重結びして接着剤で固定します。接着剤が固まったらステイとシートの余長をカットします。

（3）ベースの挿入と船体の固定

① 容器を横向きにして船体を回し、キールを開口部に向けます。支持ピンホルダーにガイド糸を通して支持ピンをキールに差し込み接着します。

② **図5-6-5**のように吊り下げた状態でペデスタルにガイド糸を通して、ペデスタルを誘導し、支持ピンホルダーとキールにペデスタルをはめて接着します。ガイド糸は後で取り外すので、糸に接着剤が付か

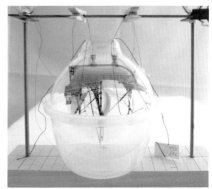

図5-6-5　ペデスタルの取り付け

ないように注意します。

③　上面をマスキングテープで留めた木
製ベースを、二つ折りにして容器に入れま
す。容器の中で切断面に接着剤を塗布し
てベースの底面側を押せば円盤状に戻る
ので、そのままの状態で硬まるまで保持し
ます（**図5-6-6**）。

図5-6-6　木製ベースの復元

④　円形の化粧カバーを挿入します。化
粧カバーは、口絵**写真3**に示したコロンブ
スの初回航海の航路をモチーフにした地
図にしました。写真用紙に原寸大で印刷
して直径50mmの円形に切り出し、
「Santa Maria」のネームプレートも取り付
けます。事前にペデスタルの取り付け位
置に穴をあけておき、そこにガイド糸を通
して軽く丸めて容器に挿入します。

⑤　ペデスタルを木製ベースに固定しま
す。化粧カバーを通したガイド糸を、ピンセッ
トを用いて木製ベースのペデスタル取り付
け穴に通します。木製ベースの中央にM3
ネジをはめてから、ガイド糸を引き、ペデス
タルと化粧カバーと木製ベースを密着させ

図5-6-7　ペデスタルの固定

ます。ここからは開口部を下にして船体を正立させた状態で作業します。片方のペデ
スタル取り付け穴に針を入れて、ペデスタル、化粧カバー、木製ベースの穴の位置を
合わせます。この状態で静かにガイド糸と針を抜き、ベースの下からM2サラネジを入
れてペデスタルを固定します。同様に、もう一方のペデスタルも同じ手順で固定します
（**図5-6-7**）。

(4)　仕上げ
　　ベースに固定された船体を回して、開口部からラダーと船尾フラッグを取り行け、最
後にメインマストフラッグを取り付けます。これで船体の組み立ては完了です。メインマ
ストフラッグが容器にぶつからないように慎重に船体を回して、ベースを開口部の最終

位置に移動します。

　木製ベース中央のM3ネジにスペーサーとアクリル板を結合すると、船体を支えてガラス容器を封止することができます。完成したボトルシップは**図5-6-8**のように様々なスタンドに載せてディスプレイします。

例1　ぐい飲み風容器のスタンド（仲間と）

例3
テンセグリティー構造の
スタンド（イルカと）

例2　エジプシャングラスのスタンド（乗り物と）

図5-6-8　ボトルシップのディスプレイ例

6. ソレイユ・ロワイヤル「Soleil Royal」の製作

6.1 製作準備

(1)帆船の選定

　実践編2例目は、ルイ14世時代のフランスの帆船ソレイユ・ロワイヤル号です。当時、フランスは海事科学のヨーロッパのリーダーで、この船はあらゆる面で最高を目指して造られたフランス海軍の第一等戦列艦です。1669年にフランス最大の軍港であるブレストで建造され、大同盟戦争(9年戦争)では英蘭連合艦隊に対峙したトゥールビル提督の旗艦として活躍しました。

　ソレイユ・ロワイヤル号は1689年にオーバーホールされていますが、その時に船の外装装飾を担当したのは宮廷デザイナーのJean Bérainで、**図6-1-1**の船尾のデザイン画がルーブル美術館に、**図6-1-2**の船首船尾の側面デザイン画がフランス国立図書館に残されています。王の栄光を体現するべく船体にはルイ14世の黄金の「太陽」の紋章が輝き、華麗な彫刻に彩られてバロック期随一の美しさと評されました。

図6-1-1　船尾デザイン
画像：©RMN-Grand Palais (musée du Louvre) / Michel Urtado / distributed by AMF

図6-1-2　船首船尾デザイン
画像：Bibliothèque municipale de Dijon

　1839年に彫刻家Jean-Baptiste Tanneronによって1/40縮尺の船体と彫刻の精緻な木製模型が製作されて、現在フランス国立海洋博物館に展示されています。木製模型はJean Bérainのデザインとは若干異なる部分もありますが、現存するデザインと木製模型を参考にしてボトルシップを製作します。帆船は帆を装着せずに、係留中の状態(アンカードモデル)で作ります。従ってリギングはマストとヤードに関するもののみ実装します。**図6-1-3**が外形図、**図6-1-4**が甲板平面図、**図6-1-5**が船体線図です。

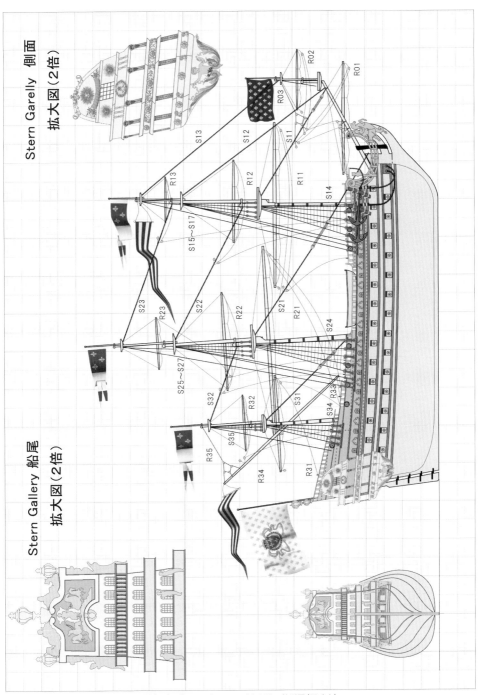

Stern Garelly 側面
拡大図（2倍）

Stern Gallery 船尾
拡大図（2倍）

R01
R02
R03
S13
S12
S11
R13
R12
R11
S14
S15〜S17
S23
R23
S22
R22
S21
R21
S24
S25〜S27
S32
S31
R33
S34
R35
S35
R32
R34
R31

図6-1-3　ソレイユ・ロワイヤル号　外形図（原寸大）

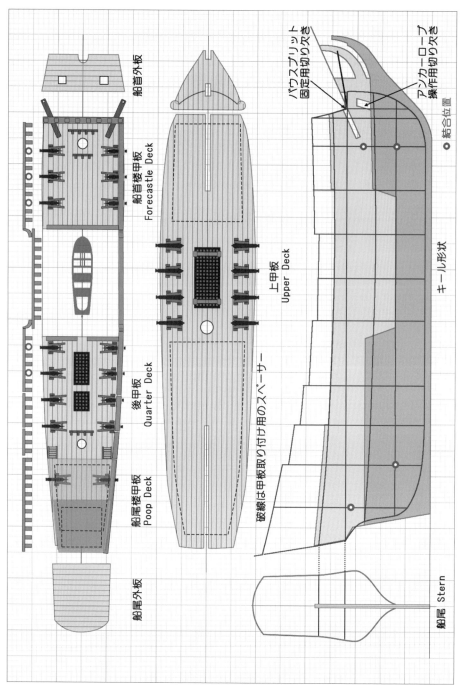

船首外板

船首楼甲板
Forecastle Deck

後甲板
Quarter Deck

船尾楼甲板
Poop Deck

船尾外板

上甲板
Upper Deck

破線は甲板取り付け用のスペーサー

バウスプリット
固定用切り欠き

アンカーロープ
操作用の切り欠き

● 結合位置

キール形状

船尾 Stern

図6-1-4 ソレイユ・ロワイヤル号 甲板平面図(73%に縮小で原寸大)

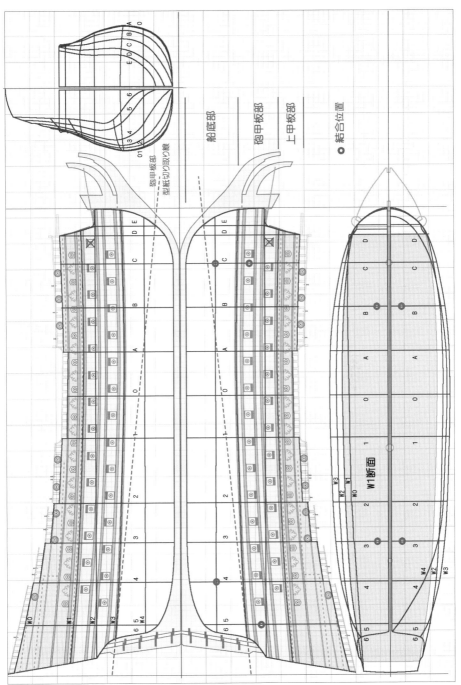

図6-1-5 ソレイユ・ロワイヤル号　船体線図（73%に縮小で原寸大）

船の寸法（*印は外形図から換算）

　　全長　LOA …………61.0m（バウスプリットを含むと79m*）

　　全幅　Beam …………15.7m

　　全高（メインマストの高さ）…………67m

　　メインヤードの長さ…………33.6m

（2）容器の選定

　第一等戦列艦の本船の全高／全長比は67÷79≒0.85で、大型艦船ですから大砲や装飾などのパーツも多いため、スケールが小さいと細部の作り込みが難しくなります。そこで極力大きく作るために、容器は前作より一回り大きい125mm径のE26ボール型電球を使用します。

　　直径…………125mm

　　口径…………26mm（口金との接合部で切断）

（3）製作サイズと構造検討

　図6-1-6が製作サイズの検討図です。極力大きいサイズを目指すと、スケール1/670で、各諸元はつぎのようになります。

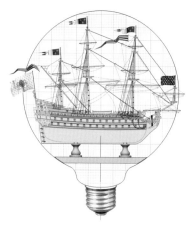

　　全長　LOA…………91mm

　　（バウスプリットを含む……118mm）

　　高さ…………98mm

　　（船尾楼の高さ…………35mm）

　　全幅　Beam…………24mm

　　（上甲板部の幅…………19mm）

　　メインヤードの長さ…………50mm

図6-1-6　製作サイズ検討図

　スケール1/670で描いた**図6-1-3**〜**図6-1-5**を参考に、製作の課題を整理し、対策を検討します。

①　船体の分割

　容器の口径は26mmです。上甲板より上の寸法を**図6-1-5**の船体線図で確認すると最大幅はW1断面で19mm、船体部分の高さも15mm以下で、上甲板部を一体で作ることに問題はありませんが、容器には上甲板部単独で入れることになります。上甲板より下は同じく船体線図の正面図で確認すると最大幅が26mm以上あるので

一体で容器に挿入することはできないため、砲甲板部と下の船底部とに分割します。砲甲板部は上が上甲板面、下が砲甲板面のレール位置で分割するので、上下の接合面は曲面になり、平面で接合するよりは接合面の摺り合わせ調整が難しくなりますが、一方で砲甲板部の厚みが一定になるので、細かな作り込みの作業が行いやすくなるメリットがあります。

以上より、船体は**図6-1-7**のように分割して製作します。砲甲板部と船底部はキールと左右船体に分けて作りますが、上下左右は真鍮線を渡して正確に結合できるようにします。また各部を容易に結合位置に誘導できるように、キールは入れ子状に分割します。

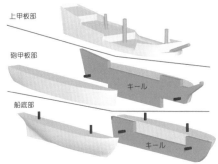

図6-1-7 船体の分割

② 組み立ての分離

船体を上甲板部、砲甲板部、船底部に分割して挿入するので、容器に挿入する前に組み立てることができない個所が生じます。以下に組み立ての工夫が必要な個所や考慮すべき点をまとめます。

• バウスプリットは砲甲板部に固定しますが、リギングは上甲板部との接続になるのでバウスプリットを取り付けた状態で容器に入れることはできません。リギングを全て行った後に操作用ステイをゆるめればバウスプリットを前方に引き抜くことが可能なため、バウスプリットは取り外して上甲板部とともに挿入します。容器内でバウスプリットを取り付けるので、正しい角度で取り付けられるように固定方法の工夫が必要です。

• スターンギャラリーは上甲板部と砲甲板部にまたがり、高さが25mmほどあります。また、ランタンが付く船尾外板の高さもマストを後方に倒すときの障害になるので、船尾外板、キャビン、スターンギャラリーは船体から外して一体化し、容器内で取り付けます。また船尾フラッグも容器内で取り付けます。

• アンカーは、本体を上甲板部のフォアマストのチャンネル付近に取り付け、アンカーロープを砲甲板部の船首に取り付けます。アンカー本体の取り付けを先に行い、砲甲板部船首へのアンカーロープの固定を容器の中で行えるように工夫します。

• 船首は三分割した船体のパーツが近接しているので、その構造を整理します。上甲板部には船首外板、バウスプリットデッキ、半円状のレール飾りを固定します。バウスプリットは砲甲板部のキールにロープで固定するようになっていますが、この作業はできないので代替方法を取ります。フィギュアヘッドは砲甲板部のキール先端に固定します。

6.2　船体の製作

　上甲板より下の砲甲板部と船底部はサンタ・マリア号と同様のソリッド方式で製作しますが、上甲板より上は舷側の曲がりが緩やかなため、ソリッド方式ではなく舷側・船首・船尾の外板と甲板を組み合わせて作ります。構造の違いにより、サンタ・マリア号とは製作手順も若干異なります。

　　Step1：左右船体用角材の連結
　　Step2：船体上下面の整形
　　Step3：船体側面の整形
　　Step4：キールの連結と整形
　　Step5：砲甲板部の加工
　　Step6：上甲板部の加工
　　Step7：船体の切り離し
　　Step8：船体の塗装

　主な材料
　　桧角材　　　20×15×150mm……………………　2(船底部用)
　　朴角材　　　20×15×150mm…………………2(砲甲板部用)
　　桧平板　　　1×30×160mm　………………………　1(キール用)
　　　　　　　　1×20×100mm　………　4(舷側用、甲板用、他)
　　　　　　　　5×25×80mm………………　1(グリップ連結用)
　　ボルト・ナット　M3 20mm　………………　各4(グリップ連結用)
　　木ネジ　10mm程度 ………………………　8(グリップ連結用)
　　真鍮線(0.5mmφ)…………………………… 若干(船体連結用)

Step1：左右船体用角材の連結

①　船体ブロックの材質
・船底部は水平の木目が細かい桧角材を用い、砲甲板部は多くのガンポートの穴あけ加工を行うので材質が均質な朴角材を用い、長さ150mmの船体ブロックを2組作ります。

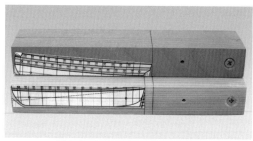

図6-2-1　船体ブロックと側面図型紙

② 側面図型紙の貼り付け

・**図6-1-5**の船体線図を73%に縮小し、ガンポートの砲身の中心に針でマーキング用の穴をあけておきます。

・側面図の型紙を切り取る際、砲甲板部の下端は斜めに切ります。これは上下のブロックを重ねた時にグリップ部分が干渉しないようにするため で、型紙は**図6-2-1**のように貼り付けます。

③ 船体部分の連結

・船底部・砲甲板部ともに左右ブロックを連結ピンで結合します（**図6-2-2**）。連結ピンは0.5mmφの真鍮線で長さは10mmです。連結位置は**図6-1-5**の船体線図に示してあります。

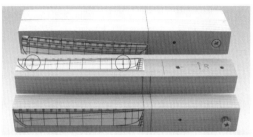

図6-2-2 左右船体の連結

④ ガンポートの穴あけ

・砲甲板部のガンポート位置に穴をあけますが、船首上段のガンポートは構造上穴あけが難しいので実装を省略します。それ以外のガンポートは型紙に開けた穴に針を刺して船体ブロックに砲身位置をマーキングし、0.5mmのドリルで深さ10mmの穴を垂直に開けます。

Step2：船体上下面の整形

① 上下面の整形

・上下の余分な部分を精密のこぎりでカットしたあと、サンドペーパーで整形します。グリップをバイスで挟んで、バイスごと前後に平行移動して研磨すると、横方向を真直ぐに削ることができます。

・船底部と砲甲板部の上面は凹面ですが、**図6-2-3**のように緩やかな曲面の容器（写真はウイスキーの小瓶）の上にサンドペーパーを置いて、バイスを移動させながら研磨すると、滑らかに仕上げることができます。

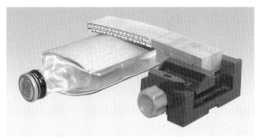

図6-2-3 船体上下面の整形

② 船底部と砲甲板部の連結

・船底部と砲甲板部の接合面に隙間がないことを確認したら、船底部と砲甲板部の側面の型紙位置を正確に合わせてクランプで固定します。

・この状態でグリップ部分の左右両側を、連結用の木片を渡して木ネジ4か所で留めて固定します（**図6-2-4**）。

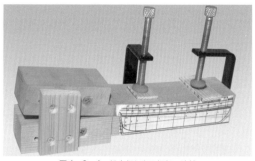

図6-2-4　船底部と砲甲板部の連結

Step3：船体側面の整形

① 平面図型紙の貼り付け

・**図6-1-5**の平面図のキール部分をカットして左右二分割した型紙を3組作ります。

・グリップの連結を外して船底部は上面に、砲甲板部は上下面にそれぞれ型紙を貼ります。

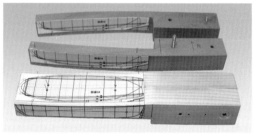

図6-2-5　型紙の貼り付け

・後程、上下のブロックを真鍮線の連結ピンで結合するので、船底部上面の連結位置に0.5mmのドリルで深さ5mmの穴をあけておきます（**図6-2-5**）。

② 側面の整形

・船体線図で船底部と砲甲板部の接合面はW3（船幅が最大）、砲甲板部の上面はW1（W1断面と記した灰色の部分）の形状なので、余分な部分を切り取った後、サンドペーパーで整形します。

・概ね形が整ったら、接合面の型紙をはがして、上下の船体ブロックを真鍮線で結合します。船体線図の正面図を当てて比較しながら、船底部と砲甲板部の船尾以外の側面形状を仕上げます（**図6-2-6**）。

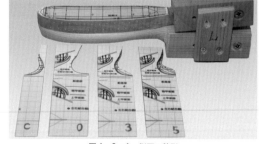

図6-2-6　側面の整形

Step4：キールの連結と整形

① キール平板の連結

・キール用の厚さ1mmの平板を船体ブロックに連結します。平板は船底よりキールが1mm程度出る位置に取り付けます（**図6-2-7**）。

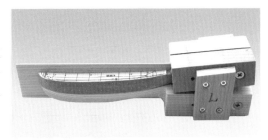

図6-2-7 キールの連結

・左右いずれか片方の船体ブロックに合わせて、次の順番で平板に連結用の穴をあけます。

船底部グリップ：3mmφ
船底部横連結：0.5mmφ
砲甲板部横連結：0.5mmφ
砲甲板部グリップ：3mmφ

② キールの整形

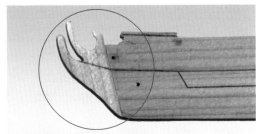

図6-2-8 キールの整形

・取り付け位置が決まった平板に船体の外形を描き、さらに砲甲板部を外して船底部との境界線を描きます。

・平板を取り外し、不要部分を削って外形を整えますが、木目が横方向なので船首の縦に細い部分は折れやすく加工が難しいです。この場合は**図6-2-8**のように船首部分だけを木目を縦方向にして作り、つなぎ合わせます。なお、キールは**図6-1-4**の色分けで示したように、船底部と砲甲板部が入れ子の形状になるように分割しますが、分割自体は後ほど行います。

Step5：砲甲板部の加工

・砲甲板部にガンポートの角穴加工を行います。

まず、加工が行いやすいように、砲甲板部の舷側の内側を**図6-2-9**のようにくり抜きます。中央の接合面から5mm離した位置に直線を引き、前方と後方にドリルで穴をあけます。

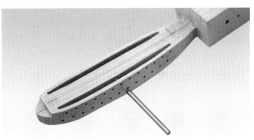

図6-2-9 ガンポートの加工

穴の間を糸のこでくり抜き、ガンポートの背後に空間ができるようにサンドペーパーで整形します。

- 次に0.8mmのドリルを使い、舷側の砲身位置の穴を広げて、さらに中央に残した部分に砲身を固定するための穴を舷側面から9mmの深さになるようにあけます。
- 最後にガンポートの丸穴を角やすりで1.2mmの角穴に広げますが、丸穴の位置がずれている個所は、ガンポートがきれいに並ぶように修正しながら削ります。

Step6：上甲板部の加工

① 上甲板部舷側の加工

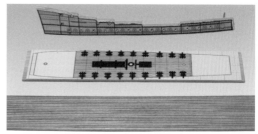

図6-2-10　上甲板部舷側の加工

- 上甲板部の舷側は、左右を同じ形状にするために、厚さ1mmの桧平板を2枚重ねて同時に加工します（**図6-2-10**）。
- **図6-1-5**の側面図のW1より上の部分を型紙にします。ガンポート位置はあらかじめ型紙に針で穴をあけておき、平板にマーキングした後、0.5mmのドリルで穴をあけます。
- 外形をカッターナイフで切り出してサンドペーパーで整えますが、下端は全体を組み上げた後で、砲甲板部との隙間がないように仕上げますので、この段階では概ね整えておきます。型紙をはがしてから、ガンポートを1.2mm角の穴に仕上げます。

② 甲板と外板の加工

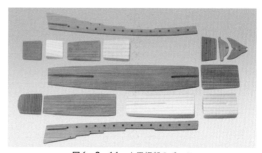

図6-2-11　上甲板部のパーツ

- **図6-1-4**の図面で甲板と船首・船尾の外板を作ります。材料は厚さ1mm幅20mmの桧平板で、片面に板目を入れた後、裏面に型紙を貼ってカッターナイフで切り取り整形します。
- 上甲板の前後は、キールにはめ込むため、中央に幅1mmの切り込みを入れます。また、横方向はW1断面に対して舷側の板厚分1mm内側になるので、砲甲板部と現物合わせで形状を確認しながら整形します。
- 船首・船尾の外板は板目が横方向になるようにし、甲板はそれぞれ高さを合わせるために、下にスペーサーを入れて取り付けます。スペーサーは角材を用いて厚さと傾きを調整して各甲板より一回り小さく作ります（**図6-2-11**）。

③　上甲板部の組み立て

・舷側と上甲板を、砲甲板部に隙間なく取り付けられるように、組み立て前に曲げて癖を付けておきます（**図6-2-12**）。

・**図6-2-13**のように上甲板を砲甲板部に置き、砲甲板部のガンポート位置と舷側のガンポート位置を合わせて、上甲板に舷側を接着します。微妙な曲線の形状ですから、隙間なく接着できるようにしばらく手で押さえて固定します。

・次に、船首、船尾はスペーサーを取り付け、その上に各甲板を置いて甲板と舷側の間に隙間がないように接着します。

・船首楼甲板と後甲板の下のガンポートは、砲身を取り付けるため、スペーサーに0.8mmのドリルで深さ数ミリの穴をあけます。

・船首と船尾の外板は、取り付け位置に合わせて形状を整形しますが、組み立ては後で行います（**図6-2-14**）。

図6-2-12　舷側の曲げ加工

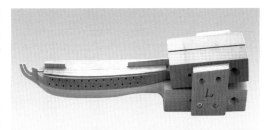

図6-2-13　上甲板の形状

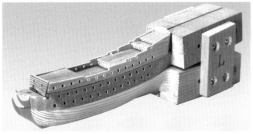

図6-2-14　上甲板部の組み立て

Step7：船体の切り離し

　サンタ・マリア号では、舷側のレール加工を行った後に船体をグリップから切り離しましたが、本船の砲甲板部にレールを取り付ける加工はグリップがないほうが行いやすいので、この時点で船体を切り離して船尾とキールの形状を整えます。最終的に船底部、砲甲板部、上甲板部を重ねて連結面の隙間や側面の段差や左右のアンバランスがないようにサンドペーパーで仕上げます。ここでキールも**図6-1-4**に示したように船底部と砲甲板部で入れ子になるように分離します。

Step8：船体の塗装

　船底部、砲甲板部、上甲板部に木部着色剤のオークで塗装します。ガンポートなどの切断面は木の繊維に沿って塗料が染み込みやすいので、綿棒で薄く重ね塗りをして、むらが出ないように仕上げます。塗色は好みによりますが、上甲板部は、**図6-1-2**のデザインに従って黄金の装飾が引き立つように青色に塗装されることが多いので、木部着色剤のブルーで塗装しました（口絵**写真2**参照）。

6.3　パーツの製作

　サンタ・マリア号のパーツと同じように製作できるパーツの説明は省略し、本船で新た
に製作するパーツを中心に説明します。

（1）　マスト・ヤード

　ソレイユ・ロワイヤル号のマストは、**図6-1-3**のよう
に、フォアマストとメインマストは3セクション、ミズンマスト
は2セクション、スプリットマストは1セクションで、最上部
は旗竿が付きます。各セクションは**図6-3-1**のようにク
ロスツリーとマストキャップで連結します。ローワーマストに
は、クロスツリーの上に円形のプラットフォーム（見張り台）
と、それを支えるチーク（補助受板）が設置されます。

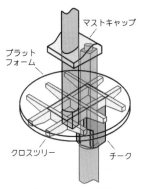

図6-3-2（次頁）がマストとヤードの製作図面で、
構成部品の形状・寸法・穴あけ位置を示しており、73%

図6-3-1　マストの連結

に縮小すると実寸になります。マストの穴あけ位置は、横方向の穴（●で表記）がスプ
リットヤード、ラテンヤードおよびマストベースの取り付け穴のみで、これはヤードのリフト、
シュラウド、バックステイをマストの連結部分に取り付けるので穴あけの必要がないから
です。他はすべて前後方向の穴（←で表記）ですが、操作用ステイの穴は、クロスツリ
ーの下から斜め上に2本のマストを貫通するようにあけるため、穴あけはマストを組み
上げた後に行います。ヤードの下側の小矢印はフットロープを懸垂する位置を示してお
り、0.3mmのドリルで深さ0.5mmの浅い穴をあけます。

　図6-3-3がマストの連結用パーツで、以下に製作方法を説明します。

① 　クロスツリー（**Crosstree**）

・正確にはクロスツリーは横ケタを指し、縦ケタはトレッスルツリーと言いますが、井桁形
状で、上下のマストを穴にはめ
て連結します。厚さ2mmの胡
桃平棒をミニルーター加工ツー
ルで表を縦、裏を横に削って作
ります。穴の大きさは挿入する
マストに合わせますが、マスト側
も四角く整形して、正しい向きに
挿入できるようにします。

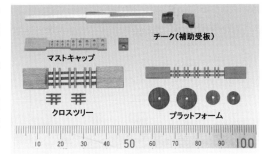

図6-3-3　マストの連結用パーツ

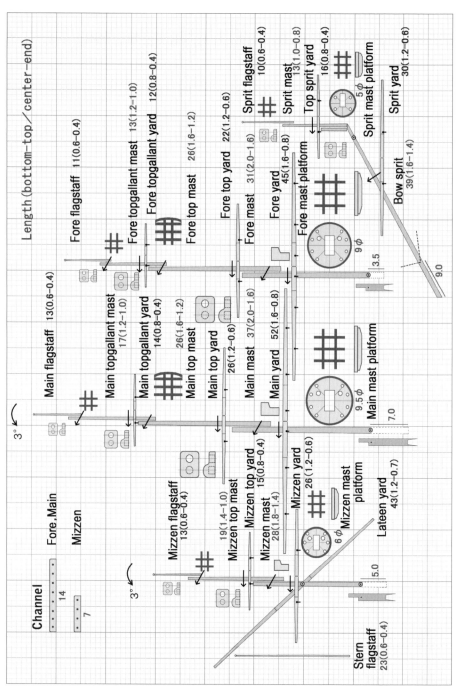

図6-3-2　マスト・ヤードの製作図面（73%に縮小で原寸大）

104

② マストキャップ（Mast cap）

・マストキャップはクロスツリーと組み合わせてマストを連結します。イギリスの船は直方体ですが、フランスは**図6-3-4**のように、丸みをおびた形状をしています。材料は厚さ2mmの胡桃平棒を用いますが、上段ほど小さくなるので、大きさの異なるキャップを**図6-3-3**のようにまとめて加工します。

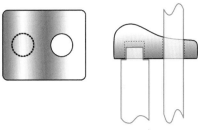

図6-3-4　マストキャップ

・中心位置を合わせて各キャップの縦横の寸法をしるし、先にマストの太さに応じた貫通穴と留め穴の加工を行います。穴の間隔は組み合わせるクロスツリーの穴の間隔に合わせます。

・長さを外形寸法に合わせて削ってから丸みの加工を行い、薄刃のエッチングのこぎりで切り分けます。

③ チーク（Cheeks）

・プラットフォームを支えるための補強で、厚さ1mmの平板をマストがちょうど収まる幅でコの字型に接着し、切断して形を整えます。

④ プラットフォーム（見張り台）

・本船のプラットフォームは薄い円盤状です（**図6-3-5**）。直径6〜10mmの丸棒を適当な長さに切って、端面を水平研磨ツールで平らにします。研磨面がプラットフォームの底面になります。

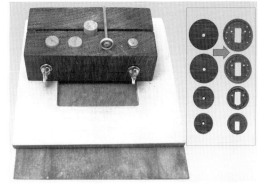

図6-3-5　プラットフォーム

・丸棒のセンターに1.7mmの穴をあけ、のこぎりで厚さ2mmの円盤を切り取ります。

・円盤の切断面側から1.7mmのネジを通してナットで固定し、ミニルーターにセットします。外周を削って直径を合わせたあと、切断面を平らに整形します。

・切断面に研磨用のダイヤモンドルータービットを押し当て、外周の手すりを残して内側を削ります。ダイヤモンドルータービットをもう1台のミニルーターに取り付けて双方を

回転させて削れば、より早くきれいに仕上げることができます。
・手すりができたら円盤を取り外して中央を平らに削り、穴あけ加工をします。まずマストが2本通るように中央の穴を長方形に広げます。続いてシュラウドのデッドアイを取り付けるための0.5mmの穴を手すりに沿ってフォア・メインは左右4個ずつ、ミズンは3個ずつあけ、さらに最下段のシュラウドを固定するための1.0mmの穴を内側に左右1個ずつあけます。方眼紙で型紙を作って穴あけ位置をマーキングすると等間隔に穴をあけることができます。

（2）滑車

　本船は1／670にスケールダウンしているので、一般の滑車は外形0.8mm内径0.4mmの真鍮パイプを切断して作る最小のものを使用します。デッドアイもつぶし玉よりさらに小さなリングで作りますが、最下段のシュラウドのデッドアイに比べて、他のデッドアイは一回り小さくなります。従って、外形／内径1.2mm／0.8mmと1.0mm／0.6mmの真鍮パイプで2種類の大きさのデッドアイを作ります（**図6-3-6**）。

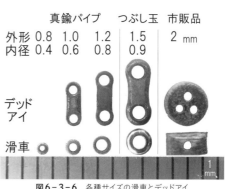

図6-3-6　各種サイズの滑車とデッドアイ

①　滑車の製作

・デッドアイ用など多くの滑車が必要になるので、寸法の揃った滑車を大量に作るために、真鍮パイプの切断にはミニルーター加工ツールを使用します。**図6-3-7**のように薄刃の丸鋸でパイプを厚さ0.5mm程に切断してリングを作りますが、パイプと丸鋸の双方を回転させると、切り口が比

図6-3-7　真鍮パイプの切断

較的きれいに切断できます。ただし、カバーを付けておかないと、切断したリングが飛び散って行方不明になります。
・切断したリングは、サンドペーパー上に並べて切断面を研磨し、内径と同じ太さのドリルで穴をさらって仕上げます。

② 滑車の連結

・デッドアイは二つの滑車をハンダ付け
して作りますが、滑車の径が小さく、か
つ連結間隔が広いと、滑車間をハンダ
ブリッジできれいにつなぐことが難しくな
ります。そこで、治具と作業の工夫が必
要になります。

・図6-3-8がデッドアイの製作作業
中の写真です。治具は二つの滑車を
所定の間隔で保持するためのもので、
小木片に細い筋目(溝)を付けて、筋目
に2本の金属棒を立てます。金属棒は

図6-3-8 デッド・アイ滑車の製作

ハンダが付きにくいピアノ線や不要になった細径のドリル刃などが適当で、滑車の径と
デッドアイの寸法に合わせて取り付けます。

　　　外径1.2mmのパイプ用……金属棒直径:0.5mm、取り付け間隔:3.0mm
　　　外径1.0mmのパイプ用……金属棒直径:0.3mm、取り付け間隔:2.5mm

・ハンダ付けは、金属表面とハンダの間に合金層を作って接合させるもので、ハンダが
融けている状態では毛細管現象で隙間に浸透してくれますが、表面張力も働くので球
状になろうとします。この表面張力の影響で、離れた滑車の間をハンダでブリッジするこ
とが難しくなります。そこで、図6-3-8の右上拡大図に示したように、滑車に細い銅
線をねじって取り付け、デッドアイの滑車間を埋める長さに切ります。治具の金属棒に
銅線付き滑車と普通の滑車を挿入し、銅線部分にハンダを溶かし込むと、ハンダが浸
透して二つの滑車の間をつなぐことができます。この時、フラックスを多目に使うと、表
面張力が弱まるのできれいに仕上がります。

・銅線には、細くてハンダ付けしやすい電子工作用ビニル電線(より線)の素線を使い
ます。素線の太さは0.2mm程ですが、細い銅線でも滑車に巻いた部分は出っ張るの
で、この出っ張りを治具に付けた細い筋目(溝)に合わせれば、滑車を水平に保持する
ことができます。

・連結ができたら、滑車の内径と同じ太さのドリルで穴をさらって銅線を取り除き、ハン
ダ面をやすりで平らに整形して仕上げます。

(3) 手すり

・ブルワークの手すりはミニルーター加工ツールを使い、切断砥石で厚さ1mmの平棒
を櫛状に削って作ります(図6-3-9)。

・船首楼甲板と後甲板は、甲板上に大砲が置かれ、手すりに丸窓のガンポートが設置されます。丸窓は直径1.5mmの真鍮製のつぶし玉を用いますが、取り付け間隔は下のガンポートの間隔に合わせる必要があり、5.1mmとします。そこから逆算して船首楼甲板と後甲板の手すりの柱の間隔は1.7mmで、高さはつぶし玉を取り付けるために2mmで作ります。

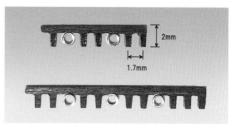

図6-3-9　手すりのガンポート

（4）大砲

　本船は104門艦ですが、市販されている帆船模型を参考に、下記のキャノン砲を搭載しています。

　下甲板：24ポンド砲×28
　中甲板：18ポンド砲×28
　上甲板：12ポンド砲×28
　船首楼甲板：8ポンド砲×6
　後甲板：8ポンド砲×10
　船首：12ポンド砲×2
　船尾：18ポンド砲×4

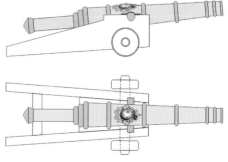

図6-3-10　8ポンド砲

　舷側のガンポートは14門／1列にしていますが、砲甲板部分の中甲板最前部に設置される左右1門は構造上実装が難しく、省略します。他は実装しますが、台車を備えたフル実装の大砲は、上から見える船首楼甲板と後甲板の8ポンド砲（**図6-3-10**）16門と上甲板の12ポンド砲（**図6-3-11**）8門のみで、その他は外から見える砲身のみを実装します。

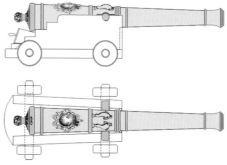

図6-3-11　12ポンド砲

① 8ポンド砲、12ポンド砲

・図6-3-12が大砲のパーツで、砲身は直径0.8mm内径0.4mmの真鍮パイプで作ります。カッターナイフで1cmに切断してミニルーターに取り付け、やすりやサンドペーパーでテーパーを付けて仕上げます。

・ミニルーター加工ツールで丸鋸刃を使うと、細かな溝の加工ができるので、黒マジックを塗ってサンドペーパーをかけるとリング模様を入れられます。

・フル実装の大砲に用いる砲身は、長さ5mmに切断して形状を整えます。

・台車は厚さ2mmの胡桃平棒を、ミニルーター加工ツールを使い、切断砥石で縦横を削って図6-3-10および図6-3-11の形状に作ります。8ポンド砲が4mm、12ポンド砲が3.5mm程の大きさです。

・台車は後方の幅が若干広くなりますが、側面の加工の際に、左右で材料の取り付け角度を変えて削ります。台車の底部は車軸を入れる切り込みを付けます。

・車輪は、外形0.8mm内径0.4mmの真鍮パイプを0.5mm程の厚さで切断します。車軸は0.4mmの真鍮線で、車輪をはめて台車の幅に合わせて端部をニッパーで切ると、車輪が抜け落ちなくなります。

　図6-3-13がパーツと組み上げたフル実装の大砲です。寸法は砲身と台車を含めて6mm程の大きさになります

② ガンポートと砲身

・砲甲板部のガンポートは砲身のみ実装し、砲門蓋が設置されます。図6-3-14にガンポートの断面構造を示します。砲身はすべて外形0.8mmの真鍮パイプで先端部のみ加工し、船体の内部にあけた穴に差して固定します。

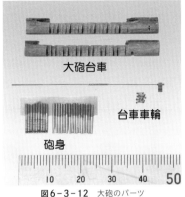

図6-3-12 大砲のパーツ

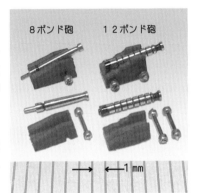

図6-3-13 組み上げた大砲

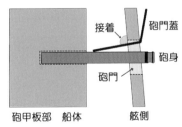

図6-3-14 ガンポートの構造

・ガンポートの蓋は幅1.2mmの真鍮帯板を図のように曲げ、上面はこげ茶色、側面から見える下側は暗赤色に塗装し、ガンポートに挿入して接着します。船体の横方向は寸法に余裕がないので、砲身も砲門蓋も舷側から出る部分は1mm程にします。

(5) アンカーとキャットヘッド（**Cathead**）

　アンカーは左右それぞれに常備と予備の2基が備えられ、砲甲板部船首の錨孔（**Hawsehole**）から出ている太いアンカーロープにつながれます。一方、アンカー本体は上甲板部のフォアマストのチャンネルの付近に固定され、さらに常備アンカーは船首楼甲板から前方に突き出たキャットヘッドに吊り下げられます。

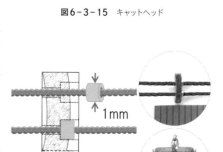

・**図6－3－15**がキャットヘッドの形状で、幅1mmの角材で作ります。実物は先端に滑車が付いていますが、この加工はできないので穴で代用します。

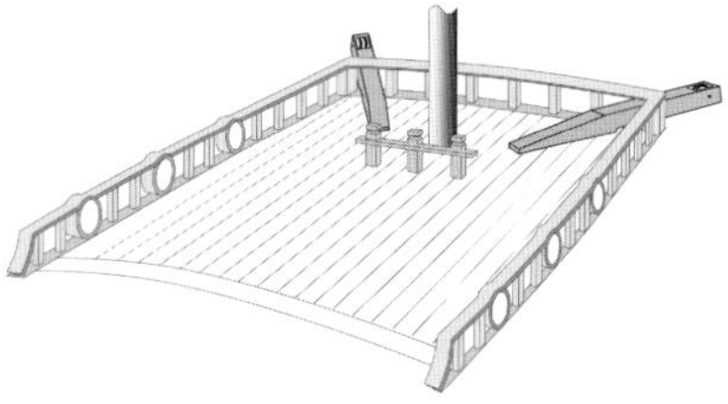

図6－3－15　キャットヘッド

・錨孔は投抜によるアンカーロープでの摩耗防止のために補助板が取り付けられます。**図6－3－16**が錨孔補助板の構造で、厚さ2mmの平板に0.4mmの貫通穴と直径1mm深さ1mmの穴をあけ、船首の曲面に合わせて整形します。正面には直径1mmの真鍮リングを接着剤で固定し、船首のレールの間にはめ込めるようにします。後ほどの組み立ての際には貫通穴にアンカーロープを通します。

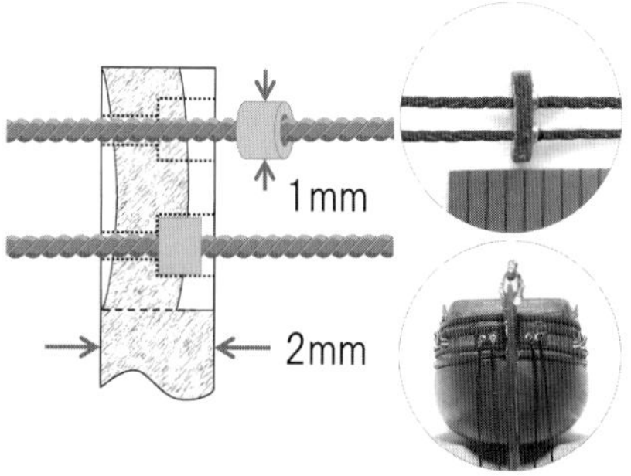

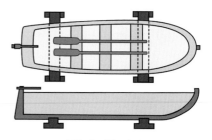

図6－3－16　錨孔補助板

(6) その他の艤装パーツ

① ボート

・上甲板のハッチの上に、架台に乗せて全長約15mmのボートを設置します。

・本体は丸棒を削って作り、舵や漕手座は平板で作ります（**図6－3－17**）。

・ボートを固定する架台は、厚さ2mmの胡桃平棒をコの字型に削りハッチの枠に取り付けて、ボートを糸で固定します。

図6－3－17　ボート

② ハッチ

・ハッチは格子を木枠で取り囲んで作ります。木枠は1mm角の角材を、格子は市販の模型用のエッチングパーツまたはプラスチックのメッシュを用います。

③ 船室扉

・上甲板と後甲板、後甲板と船尾楼甲板の段差部分を埋めるために、船室扉をはめ込みます。船室扉の形状は特に決まっていないので、本船では**図6−3−18**のように作成しました。

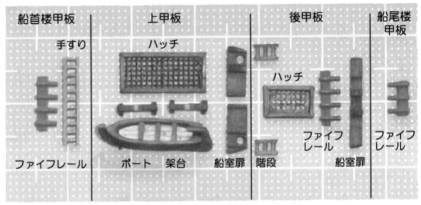

図6-3-18　その他の艤装パーツ

④ バウスプリットのロープ

・艤装パーツではありませんが、バウスプリットとキールを結束するロープの代わりに、バウスプリットの上からはめるU字形の代替ロープを作ります（**図6−3−19**）。

・黒色の太い糸を木工用ボンドで真直ぐに固め、幅1mmの金属帯板に数本貼り付けます。

・これをバウスプリットにはめられるようにU字形に曲げて切断します。

図6-3-19　バウスプリットのロープ

（7）装飾

　ソレイル・ロワイアル号は**図6−1−1**、**図6−1−2**のように船全体が華麗な彫刻で装飾されています。船尾は4頭の馬を操るギリシャ神話の太陽神ヘーリオスを模した

影像を掲げた船室部分と、それを取り囲むスターンギャラリーから構成されます。船首にはヘッドレイルやフィギュアヘッドがあり、上甲板の舷側全体にはルイ14世を模した装飾とガンポートの飾り枠が施されています。ボトルシップのスケールではこれらを細かく再現することは難しいですが、簡便な方法としてはプリンターでカラー印刷して作ったシールを貼り付ける方法があります。これを一歩進めて、装飾パーツを真鍮板のフォトエッチングによって作れば、比較的細かい形状も再現できるので、よりリアリティーが増します。フォトエッチングは自宅でもある程度行うことがきるので、具体的な方法を付録で紹介します。興味がある方はチャレンジしてみてください。

・スターンギャラリーは容器内で船体に取り付けるので、取り付け方法を**図6-3-20**に示します。

・船尾外板は船体には接着せずに2か所にTピン用の穴をあけ、船体にも同じ位置に深さ数ミリの穴をあけて、両者をTピンで結合できるようにします。

・次にスターンギャラリーの取り付け位置を確認して、船尾外板とスターンギャラリーを接着します。このようにするとTピンを船体に刺せば、船尾外板とスターンギャラリーを正しい位置で船体に固定できます。

・**図6-3-21**がフォトエッチングで作成した真鍮板のベースに、装飾をカラー印刷した透明シールを貼り付けたスターンギャラリーです。個別に作成した影像のパーツや、ビーズで作ったランタンなどの装飾パーツを取り付けて、極力立体的に仕上げています。

・組み上げたスターンギャラリーは、船体が組み上がってから容器に挿入して取り付けます。

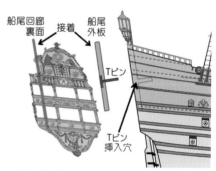

図6-3-20 スターンギャラリーの取り付け方法

図6-3-21 スターンギャラリー

(8) フィギュアヘッド

　船首には、その船特有のフィギュアヘッドが取り付けられます。本船のフィギュアヘッ

ドは**図6-3-22**の馬とその背に寄り添う女神の像です。大きさをスケール換算すると全長8mm程ですので、細部の表現は難しいです。

・女神は、鉄道ジオラマや建築模型用に市販されている8〜9mmのプラスチック製人物フィギュアがほぼ同じ大きさなので、女性のフィギュアの中から形状の近いものを選んで加工します。

・馬は自作になります。胴体は直径2.5mmのプラチック丸棒を使い、ドリルガイドでも使用した1cm角のキューブに取り付けて加工します。キューブを使用すると四

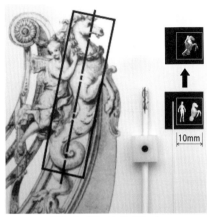

図6-3-22 フィギュアセット

面の角度が正確に出るので、まず丸棒の各面に基準となる中心線を書きます。

・図に製作部分を枠取りし、中心線を引きます。この図を参考に、プラスチック丸棒に馬の胴体の加工位置を縮小して記入し、4面を超精密やすりで削ってサンドペーパーで仕上げます。

・馬の脚は、0.5mmのプラスチック丸棒をろうそくであぶったピンセットで曲げて作り、胴体に接着します。

・馬と女神のパーツを組み合わせてキールの先端に取り付けられるように最終的な形状を調整し、全体をゴールドに塗装します。フィギュアヘッドへの取り付けは、挿入時の高さを抑えるために、砲甲板部側のキールに固定します。

(9) フラッグ

・**図6-3-23**はフラッグで、カラー版は口絵の**写真4**です。ホワイトラベル用紙に原寸大でカラー印刷します。

・船首と船尾のフラッグはフランスのブルボン家にゆかりの図案です。

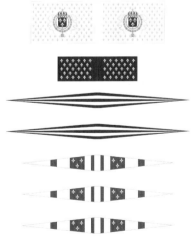

図6-3-23 フラッグ

（10）台座

　船体の固定方法はサンタマリア号と同様で、**図6-3-24**のようにガラス球の開口部に円盤状の木製ベースを固定し、その上にペデスタルを立てて支持ピンで船体と結合します。

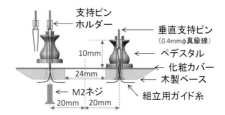

図6-3-24　台座の構造

・**図6-1-4**から台座のパーツの寸法を算出するとペデスタルは高さ10mmで、2本の取り付け間隔は40mm。木製ベースは厚さ6mmのバルサ板で作りますが、直径は上面が70mm、下面が63mmになります。

・木製ベースは半分に割っても容器の口径26mmより大きいので、中心部を直径24mmの円形にくり抜いてドーナツ状にします。カッターナイフで二分割してから、上面にテープを貼って二つ折りにし、さらに角を落として中央の穴がアーモンド形になるようにします。最終的には実際の容器に入るように調整します。

・直径2mmの支持ピンホルダーと支持ピンは、先に船底部のキールに取り付けた状態で容器に挿入します。組立用ガイド糸は支持ピンホルダーに穴をあけて通しますが、ペデスタルと結合してもガイド糸を抜くことができるように、支持ピンホルダーの下部を板状に削っておきます。

製作したソレイユ・ロワイヤル号のパーツ一式を、**図6−3−25**に示します。

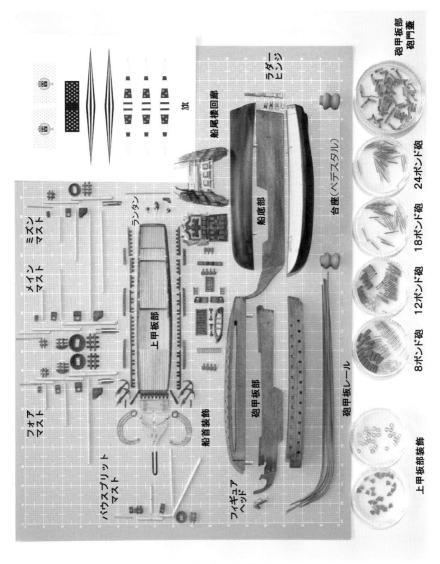

図6−3−25　パーツ一式

6.4　組み立てとリギング

（1）　船体の組み立て（砲甲板部）

① 　レールの取り付け

• 砲甲板部の舷側にレールを取り付け
ます。取り付け位置は、2列に並んだガ
ンポートの上下の計4か所で、砲甲板
部の底面から一定の距離の平行曲線
になります。

• レール取り付け位置に溝を付けます
が、この作業は**図6-4-1**のようにト
ースカンを用います。台の上に砲甲板
部を置いて、トースカンの高さを合わせ、
船首から船尾までトースカンの針先で
舷側にレール位置をマーキングします。

図6-4-1　レールの取り付け

• 次にトースカンの針を、先端の鋭い研磨用ルータービットに替えて、マーキングした線
を広げて溝にします。

• レールは竹の丸棒を直径0.5mm程に細くして、あらかじめ船首の丸みに合うように
曲げ癖を付けておき、これをレールの溝に手で押さえながら接着します。

• 接着剤が乾いたら、端をナイフで切り整えて、丸棒の側面をサンドペーパーで軽く平
らにします。

• 最後に、塗料を付けた綿棒でレール表面だけを塗装します。

② 　砲身と砲門蓋の取り付け

• ガンポートの下段は24ポンド砲、上段は18ポンド砲の砲身を、先端が舷側から1mm
程出るように差し込み、高さを揃えてます。

• 砲門蓋をガンポートに差し込
み、蓋がきれいに並ぶように調
整して接着剤で固定します。

図6-4-2　砲甲板部のガンポート組み立て

③　バウスプリットの組み立て

・バウスプリットは砲甲板部の船首に取り付けますが、最終的に固定する作業は容器の中で行うので、次の2点を考慮する必要があります。

・1点目はステイの張力に負けない強度を持たせるため、**図6-4-3**のようにバウスプリットをキールに深く挿入します。

・2点目はバウスプリットマストが必ず垂直になるようにするため、バウスプリットの挿

図6-4-3　バウスプリットの組み立て

入部分の断面を幅1mmの長方形にします。挿入用の穴はキールの平板だけにあけて左右を船体で挟めば、穴の断面が幅1mmの長方形になります。

・バウスプリットマストは垂直にバウスプリットに固定しますが、強度が必要な個所なので、しっかり接着します。

④　フィギュアヘッドの取り付け

・フィギュアヘッドは、砲甲板部と船底部のキールの間に取り付けますが、固定は**図6-4-4**のように砲甲板側に行います。

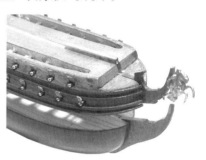

図6-4-4　フィギュアヘッドの取り付け

（2）船体の組み立て（上甲板部）

①　上甲板部舷側の装飾

・ガンポートにフォトエッチングで作った飾り窓枠を取り付けます。楊枝の先端をガンポートの穴に合うように四角く削り、楊枝に接着剤を付けた飾り枠をはめて穴に刺せば、位置合わせが簡単です（**図6-4-5**）。

・ガンポートの間に、装飾用のパーツをバランスよく貼り付けます。

・フル実装のキャノン砲が設置される中央部以外のガンポートに砲身を挿入します。砲身は先端を舷側から1mm程出して高さを揃えて固定します。

舷側装飾

図6-4-5　上甲板部舷側の組み立て

117

② 艤装品の取り付け

・上甲板の中央部は実装されるパーツが多いので、すべてのパーツが問題なく取り付けられるか、仮置きして配置を事前確認します（**図6-4-6**）。

・上甲板の船室正面扉、後甲板の船室正面扉と階段を取り付けます。

・マスト位置にマストベース取り付け用の穴をあけます。ただし、マストベースは固定しません。

・ファイフレールをマスト近傍に取り付けます。

・手すりおよび8ポンド砲ガンポート用の丸窓を取り付けます。

・フル実装の大砲、12ポンド砲8門、8ポンド砲16門を甲板に取り付けます。

・後甲板のハッチを取り付けます。上甲板のハッチとボートは、組み立て作業の際に取り外す必要があるので、ここでは取り付け位置の確認のみ行い、固定はしません。

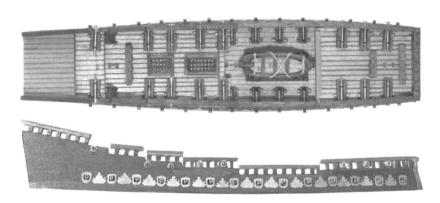

図6-4-6　上甲板部の艤装

③ 船首の組み立て

・船底部、砲甲板部、上甲板部を結合した状態で、船首外板、バウスプリットデッキの取り付け位置を確認し、上甲板部の船首に接着します。

・船首外板の上辺に手すりを固定し、手すりの両端の柱の間にアンカー用のキャットヘッドを取り付けます。

・手すりの両端には装飾レールを取り付けます（**図6-4-7**）。

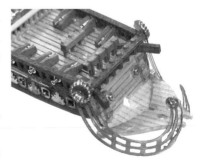

図6-4-7　上甲板部船首の組み立て

(3) 船体の組み立て(船底部)

① ラダーの取り付け

・ラダーにヒンジを取り付けて、キールの最後尾にはめ込みます(**図6-4-8**)。

図6-4-8　ラダーの取り付け

② キールの台座結合用穴加工

・船体を台座に固定するためのキールの穴あけ加工を行います。**図6-3-24**のように台座の中心から左右20mmの位置にペデスタルを立ててキールと結合します。**図6-1-6**を参考にキールとペデスタルの結合位置を決めて、キール底面に0.4mmの穴を垂直にあけます。**図6-4-9**がキールとペデスタルを真鍮線で仮組みしたところです。

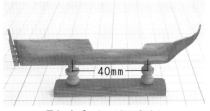

図6-4-9　キールとペデスタル

(4) マスト・ヤードの組み立て

① マストの組み立て

・フォア、メイン、ミズンの各マストを組み立てます。マストはリギングの際に前後方向に力がかかるので、各パーツは木工用ボンドでしっかり接着します。

・フォア、メイン、ミズンの各マストに操作用ステイを通すための穴をあけます(**図6-4-10**)。容器内で組み立てる際に操作用ステイを切りやすくするため、クロスツリーの前方下側から後方上側に向けて2

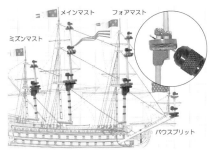

図6-4-10　マストの組み立て

本のマストを貫通する斜めの穴をあけます。初めに針で穴あけ位置にマーキングしますが、このマーキングをマストの中心に行うことが重要です。続いて0.3mmのドリルで中心を外れないように確認しながら斜めの貫通穴をあけ、最後に0.5mmのドリルで穴を広げます。

・各マストをマストベースの回転軸に0.5mmの真鍮線で取り付けます。組み上がったマストを甲板に仮付けして、後方に倒せることを確認します。

・フォア、メイン、ミズンの各ローワーマストはロープウエルディングを行います。

・最上部のフラッグは最終組み立ての際に取り外すので、ここでは固定はしません。

② ヤードの組み立て

• ヤードにフットロープを取り付けます。フットロープは**図6-3-2**でヤードに小矢印で示した位置でヤードの下側に懸垂しますが、糸では下側に保持できないので、銅線で作ったアイボルトで懸垂します。アイボルトは太さ0.3mm程の銅線の端をプライヤーでつぶして平らにし、中心に針でマーキングした後、0.3mmの穴をあけます。

• ヤードの懸垂位置に0.3mmのドリルで深さ0.5mm程の穴をあけて、アイボルトを接着剤で固定します。ヤードは細いですが、**図6-4-11**のようにミニルーター加工ツールを使用すると、穴の位置も深さも、ほぼ正確に加工できます。

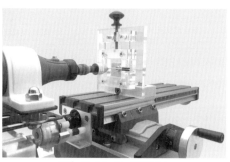

図6-4-11　ヤードの組立て

• フットロープは、黒色の細い糸をアイボルトの穴に通してヤードの端で固定します。しかし、ヤードの先端にはリフト、ブレース、滑車なども取り付けるので、結束数を少なくするために、ヤードの両端に滑車が付く場合は、滑車の取り付け糸でフットロープを共締めします。滑車が付かない場合はヤードをマストに取り付けた後でリフトを張る時に共締めします。なお、リフトを結束した余長はブレースとして使用するので、糸は十分な長さを確保します（**図6-4-12**）。

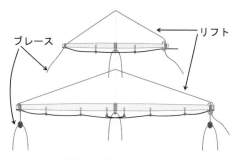

図6-4-12　ヤードの加工

③ シュラウドの組み立て

　図6-4-13が本船のシュラウドの寸法です。デッドアイは、最下段のシュラウド固定用が1.2mmφで、それ以外は一回り小さい1.0mmφを使用します。実装するデッドアイの組数

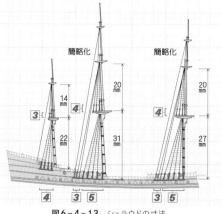

図6-4-13　シュラウドの寸法

は、図の□数字の数になります。

　なお、トップゲルンマストとスプリット
マストのシュラウドは小さいので、デッ
ドアイやラットラインは省略し、縦のロー
プのみ張ります。**図6−4−14**が
組み上げたすべてのシュラウドで、
最下段はシュラウドとバックステイを
チャンネルに取り付けています。

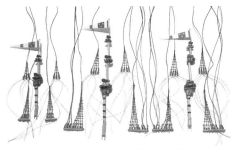

図6−4−14　組み上げたシュラウド

④　マスト・ヤードの組み立て

・ヤードを**図6−3−2**に示した停泊
中の位置のマストの前後方向の穴に
糸で結び付けます。容器挿入の際に
ヤードを回転できるように取り付けま
すが、特に最下段のヤードは、プラッ
トフォームを避けて90度近く回転でき
るように緩く取り付ける必要がありま
す。

・リフトは上部のマスト連結部の隙間
に通し、ヤード端部でフットロープを
共締めして固定します。

・最下段のシュラウドは総組み立て
の際にチャンネルを固定してから取り
付けますが、トップゲルンとトップのシュ
ラウドは、マストが固定されていると
細かい作業が難しくなるので、この
時点で取り付けます。**図6−4−15**
のように、トップゲルンは1本の糸をク
ロスツリーの左右の桁と連結部の間
を一回りするように張ります。トップは
組み上げたシュラウドのデッドアイ固
定用糸をプラットフォームの穴に通し、
プラットフォームの裏面に渡した銅線

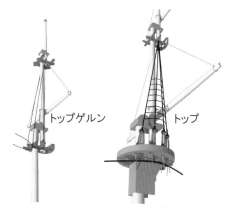

トップゲルン　　　　　　トップ

図6−4−15　シュラウドの取り付け

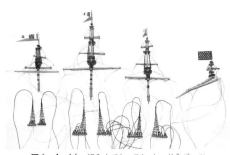

図6−4−16　組み立てたマスト・ヤード全パーツ

に結んで固定します。上部はマスト連結部の隙間に通してトップマストに結びます。**図
6−4−16**が組み立てたマストヤードの全パーツです。

（5）リギング

• リギングを行うために、船体を組み立てフレームに固定します。切り取ったグリップを台として組み立てフレームに留めて、この台で船底部のキールを挟みます。砲甲板部と上甲板部を重ねて船体全体をテープで固定しますが、直接テープを貼るとブルワークの手すりが破損するので、上甲板のボートを外して、力が加わっても大丈夫な中央部分に発泡スチロールのブロックと平板を置き、これをスペーサーにしてテープで押さえ、船体を組み立てフレームに固定します。

• 表6−4−1が、すでに取り付けているリフトを除いたリギングの一覧表です。表のグレーの部分は静索で、最下段のステイ（S11,S21,S31）は少し太い黒糸を使い、他は＃50の黒色の糸を使用します。動索は＃90の麻色の糸を使用します。以下、手順を追ってリギング作業を説明します。

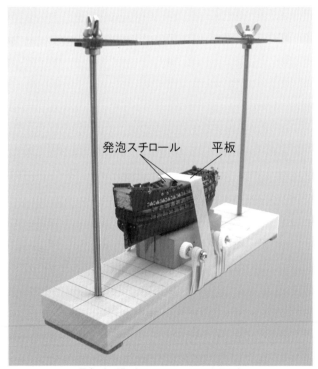

発泡スチロール　　　平板

図6−4−17　組み立てフレームへの船体固定

部位	NO.	リギング	From（先に接続）	To（後で接続）
ステイ	S11	フォアステイ	バウスプリット先端に固定	組み合わせ滑車を経由してフォアマストのクロスツリー部の穴を通す
	S12	フォアトップステイ	バウスプリット先端に固定（S11と同じ位置）	フォアトップマストのクロスツリー部の穴を通す
	S13	フォアトップゲルンステイ	スプリットマストのキャップ下に固定	フォアトップゲルンマストのクロスツリー部の穴を通す
	S21	メインステイ	二本のロープをバウスプリットの基部に固定	船首楼前方の桁の間を通し組み合わせ滑車を経由してメインマストのクロスツリー部の穴を通す
	S22	メイントップステイ	フォアマストのキャップ下に固定	メイントップマストのクロスツリー部の穴を通す
	S23	メイントップゲルンステイ	フォアトップマストのキャップ下に固定	メイントップゲルンマストのクロスツリー部の穴を通す
	S31	ミズンステイ	メインマストの基部に固定	組み合わせ滑車を経由してミズンマストのクロスツリー部の穴を通す
	S32	ミズントップステイ	メインマストのキャップ下に固定	ミズントップマストのクロスツリー部の穴を通す
バウスプリット	R01	スプリットブレース	フォアステイ(S11)中間点に固定	ヤード→フォアステイ(S11)→バウスプリットの滑車を経由してフォアマスト前方のファイフレールに固定
	R02	スプリットトップブレース	フォアステイ(S11)中間点に固定	ヤード→フォアステイ(S11)→バウスプリットの滑車を経由してフォアマスト前方のファイフレールに固定
	R03	スプリットトップ	フォアステイ(S11)に4個の組み合わせ滑車で固定	スプリットトップマストキャップ下に固定
フォアマスト	R11	フォアブレース	メインステイ(S21)中間点に固定	フォアヤード先端の滑車→メインステイ(S21)の滑車を経由して船首楼側面手すりに固定
	R12	フォアトップブレース	フォアトップヤード先端に固定	メイントップステイ(S22)の滑車を経由してフォアマスト後方のファイフレールに固定
	R13	フォアトップゲルンブレース	フォアトップゲルンヤード先端に固定	メイントップゲルンステイ(S23)の滑車を経由してフォアマスト後方のファイフレールに固定
	S14	フォアシュラウド	船首楼の舷側にチャンネルを固定	フォアマストのプラットフォームの穴を通してキャップ下に固定
	S15	フォアトップバックステイ−1	同上	フォアトップマストのクロスツリー横を通してキャップ下に固定
	S16	フォアトップバックステイ−2	同上	フォアトップマストのクロスツリー横を通してキャップ下に固定
	S17	フォアトップゲルンバックステイ	同上	フォアトップゲルンマストのクロスツリー横を通してキャップ下に固定
メインマスト	R21	メインブレース	後甲板側面の手すりに固定	メインヤード先端の滑車を経由してミズンマスト前方のファイフレールに固定
	R22	メイントップブレース	メイントップヤードの先端に固定	ミズントップステイ(S32)の滑車を経由して後甲板側面手すりに固定
	R23	メイントップゲルンブレース	メイントップゲルンヤードの先端に固定	ミズントップステイ(S32)の滑車を経由して後甲板側面手すりに固定
	S24	メインシュラウド	後甲板の舷側にチャンネルを固定	メインマストのプラットフォームの穴を通してキャップ下に固定
	S25	メイントップバックステイ−1	同上	メイントップマストのクロスツリー横を通してキャップ下に固定
	S26	メイントップバックステイ−2	同上	メイントップマストのクロスツリー横を通してキャップ下に固定
	S27	メイントップゲルンバックステイ	同上	メイントップゲルンマストのクロスツリー横を通してキャップ下に固定
ミズンマスト	R31	ミズンブレース	船尾楼甲板側面手すりに固定	ミズンマスト前方のファイフレールに固定
	R32	ミズントップブレース	ミズントップヤードの先端に固定	ラテンヤードの滑車を経由して船尾楼側面の手すりに固定
	R33	ミズンラテンヤード−1	ラテンヤード前方先端に固定	後甲板右舷の手すりに固定
	R34	ミズンラテンヤード−2	ラテンヤード後方先端に固定	後甲板左舷の手すりに固定
	R35	ミズンラテンヤード−3	ラテンヤード後方先端に4個の組み合わせ滑車で固定	ミズントップマストのキャップ下に固定
	S34	ミズンシュラウド	船尾楼の舷側にチャンネルを固定	ミズンマストのプラットフォームの穴を通してキャップ下に固定
	S35	ミズントップバックステイ	船尾楼の舷側のアイボルトに固定	ミズントップマストのクロスツリー横を通してキャップ下に固定

表6−4−1　リギング一覧表

① 滑車の取り付け

・ヤードの先端の滑車はマスト・ヤード組み立ての際に取り付け済みですので、それ以外のリギングに必要な滑車の取り付けを行います。**図6-4-18**が**図6-1-3**から滑車の取り付け個所を抜き出した図で、滑車を大別すると3種類あり、最下段のステイをつなぐ組み合わせ滑車、4個の組み合わせ滑車、およびブレースを中継する滑車です。これらの滑車は、リギングの事前準備として、ステイやヤードに取り付けておきます。なお、**図6-4-18**は各ロープの最終形態の長さを表しているので、実際の製作では、結束のための余長が左右に必要で、特にステイは容器挿入後に操作するために30cm程長くします。

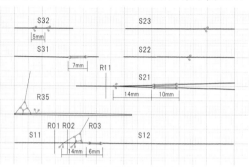

図6-4-18　滑車の取り付け位置

・ステイ（S11,S21,S31）の組み合わせ滑車は、つぶし玉を扁平にした滑車にステイを棒結びでつなぎ、滑車間を麻色の糸で3周回して連結します。なお、S11とS12は共にバウスプリット先端の同じ位置に固定するので、組み合わせ滑車で連結しておきます。またS11,S21はブレース（R01,R02,R11）の起点になりますが、1本の糸を**図6-4-19**のように結んで、両サイドのブレースをまとめて結束します。

・4個の組み合わせ滑車は、外径0.8mmの滑車4個にそれぞれ麻色の糸を結んでから、4個をひし形に連結します。その後、角度に合わせてステイやヤードに取り付けますが、フォアステイS11に組み合わせ滑車を取り付ける際は、**図6-4-20**のように結束数を最小限にするためブレース中継用の滑車を共締めします。

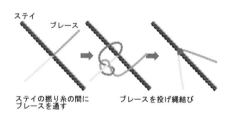

図6-4-19　ステイへのブレース固定

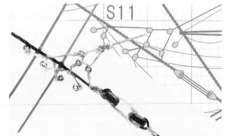

図6-4-20　4個の組み合わせ滑車

② チャンネルの取り付けと容器挿入確認

・シュラウドとバックステイ（S14～S17、S24～S27、S34）が取り付けられたチャンネルを上甲板部の舷側のそれぞれの位置に接着剤で固定します。舷側の固定位置は塗装を削っておくと、接着強度が高まります。

・チャンネルの厚み分上甲板部の横幅が増えるので、チャンネルが付いたら上甲板部を取り外して容器に挿入できることを確認します。挿入できない場合はチャンネル側面をサンドペーパーで削ります。

・次にフォア、メイン、ミズンの各マストを個別に甲板に刺し、プラットフォームやヤードが問題なく容器に挿入できるか確認します。特にプラットフォーム下のヤードがうまく回転できないときは、マストからヤードを少し離して取り付けるように修正します。

・個別にマストの挿入ができたら、最終的に3本のマストを倒した状態で挿入できることを確認します。3本のマストは直線上に並んでいるので、お互いが重ならないように左右または前後に少しずらして折りたたむ必要があります。このため、マストベースは接着剤で甲板に固定しないで差し込むだけにして、実船と同様に静索でマストを支持します。この段階で容器に挿入できないと、後の作業をしても無駄になるので、必要な修正を行って必ず挿入できるようにします。

③ リギングの事前準備

・再び船体を組み立ててフレームに固定します。表6－4－1のS21を除くステイ（S11、S12、S13、S22、S23、S31、S32）を、それぞれの起点となるマストのFrom側の位置に結んでから、マストを甲板に差し込みます。S21はバウスプリットを船体に差してから、

二股に分かれたステイを船首楼前方の手すりの間を通してバウスプリットに結びます。

・本船は静索・動索の本数が多いので、図6－4－21のように回転マットを用いて作業をすると、360度容易にアクセスできるのでリギングが楽になります。組み立てフレームを回転マットにテープで固定し、結束作業が後工程の動索は、当面の作業の邪魔にならないようにテープでマットに貼り付けます。

図6－4－21　リギングの事前準備

・操作用のすべてのステイを糸通しでマストのそれぞれの貫通穴に通し、糸の先端に識別用のロープ番号を記入したタグを付けます。

④　静索のリギング

・フォア、メイン、ミズンの順で各マストのシュラウドとバックステイを結束します。

　図6-4-22のようにシュラウドはプラットフォームの下から、バックステイはクロスツリーの下から糸を立ち上げてマスト連結部の隙間を通してマストに結び付けます。バックステイは糸通しを使えば作業できますが、シュラウドはプラットフォームのサイドにトップシュラウドが取り付けてあるので、狭いマスト連結部に糸を通すには工夫が必要です。図6-4-23はその手順を示したもので、まずマストの隙間に真横から糸通しでガイド糸を通します。次にマストとシュラウドの隙間に鈎針を入れてガイド糸を引っかけて両端を出します。ガイド糸の片端をシュラウドの糸に接着した後ガイド糸を引けば、連結部に糸を通すことができます。

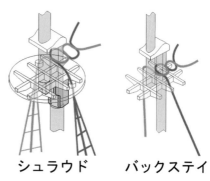

シュラウド　　　バックステイ

図6-4-22　シュラウドとバックステイの結束

図6-4-23　連結部の糸通し

・シュラウドとバックステイを一重結びで仮止めした後、マストを最終的な取り付け角度になるようにステイを引いて組み立てフレームに仮止めします。ステイが張っている状態で、シュラウドの糸を引いてたるみをなくし、マストベースが甲板にしっかり差さっていることと、マストが所定の傾きであることを確認して、シュラウドを二重結びで固定します。

図6-4-24　静索のリギング

・バックステイも同様の手順で固定します。図6-4-24はフォアマストのシュラウドとバックステイを結束した状態ですが、メインマスト、ミズンマストも同様に結束します。なお、この後の動索のリギングの際に、バックステイには力が掛かるので、ロープの結び目に接着剤を塗って、解けないようにしっかり固定します。操作用ステイを接着してしまわないように注意してください。

⑤　動索のリギング

・バウスプリットはフォアステイS11をピンと張ったまま、R03をスプリットトップマストのキャップの下に結び、次にフォアステイS11に取り付けてあるブレースR01、R02を、それぞれヤード先端の滑車→フォアステイの滑車→バウスプリットの滑車→船首楼甲板の手すりの間の順で通し、ヤードや各滑車の左右のバランスを整えてファイフレールに固定します（**図6-4-25**）。

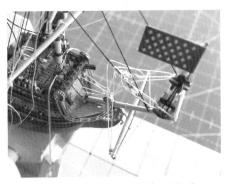

図6-4-25　バウスプリット動索のリギング

・フォアマストはヤードの先端に固定されているブレースR12、R13を、ステイの滑車を経由してヤードが水平になるように左右を調整し、フォアマスト後方のファイフレールに固定します。次にフォアステイS21に取り付けてあるブレースR11をフォアヤード先端の滑車→メインステイの滑車を経由して、フォアヤードが水平になるように船首楼甲板の手すりに固定します。

・メインマストは上からR23、R22、R21の順に固定します。手すりへの結束はスペースがない所での細かい作業になるので、手すりを壊さないようにピンセットと糸通しを使って慎重に行います。

・ミズンマストはラテンヤードをR33、R34、R35の順番で固定してから、ブレースR32、R31を固定します。

・**図6-2-26**は動索のリギングが完了した状態です。この後、ステイを緩めて**図6-2-27**のようにマストを倒し、再度ステイを引いてマストを組み立てる作業を数回繰り返し、リギングに問題がないことと組み立て手順を確認します。

図6-4-26　動索のリギングの完了

図6-4-27　マストを倒せることの確認

⑥　アンカーの取り付け方法

　アンカーは前が常備、後が予備で、本体は上甲板部の船首楼に取り付け、アンカーロープは砲甲板部の船首に取り付けます。次の手順で組み立て、アンカーロープは容器に入れてから最終形態にします。

・長さ20cmのアンカーロープの一端を支柱のリングに通し、折り返して2か所を棒結びで留めます。その後、アンカーロープ

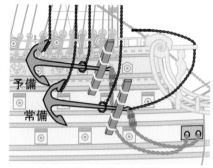

図6-4-28　アンカーの取り付け方法

が支柱に対して下向き90度になるように、ロープをリングに接着します。

・アンカー本体を吊り下げるため、ガイド用の糸を**図6-4-28**のようにアンカーの爪と支柱に付けます。ガイド糸を船首楼の手すりの大砲がない所に通して手すりに一回り巻き、アンカー吊り下げ位置を調節してガイド糸を接着します。容器挿入時を考慮してアンカー本体は動かせるようにします。

・常備アンカーはリングに結んだ糸をキャットヘッドの先端の穴を通して、船首楼前方の手すりに結びます。

・錨孔補助板を砲甲板部船首に接着し、左右の錨孔から0.5mmのドリルを入れてキールに達するまで船体を貫通する穴をあけます。錨孔から入れたアンカーロープが砲甲板部前方のキールの下方に出るようにキールを**図6-1-4**のように切り欠きます。

6.5　容器の製作

　容器はボール型白熱電球（口金E26、直径125mm）の透明ガラス球を使用します。大きさは違いますが、容器の加工は、サンタ・マリア号の場合と同様です（**図6-5-1**）。

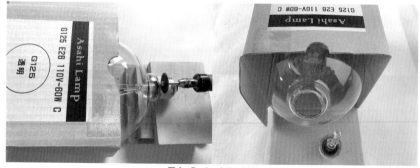

図6-5-1　容器の製作

6.6 最終組み立て

　図6-6-1が最終組み立て前の全パーツです。パーツと操作用・ガイド用の糸が多いので、次の手順で組み立てを行います。

(1) 砲甲板部、上甲板部の容器挿入
(2) 砲甲板部、上甲板部の結合
(3) 船底部の容器挿入と結合
(4) 上甲板部の組み立て
(5) ベースの挿入と船体の固定
(6) 仕上げ

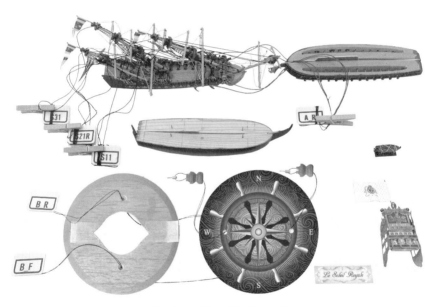

図6-6-1　組み立て前のパーツ一覧

（1）砲甲板部、上甲板部の容器挿入

①　アンカーロープを砲甲板部船首の錨孔から通してキールの下方の切り欠きから出し、操作用に識別タグを付けます。アンカーロープに接着剤がつかないように注意して砲甲板部の左右パーツを接着すると、**図6-6-1**のように上甲板部と砲甲板部がアンカーロープでつながります。

②　125mm径のガラス球の保持には、カットフルーツの販売に用いるポリエステル容器が利用できます。**図6-6-2**のように開口部を横向きにし、操作用の糸を整理して砲甲板部の船尾から容器に挿入します。続いて上甲板部を船首から挿入しますが、張り出しているアンカーは左右交互に入れていけば挿入できます。

図6-6-2　砲甲板部・上甲板部の挿入

（2）砲甲板部、上甲板部の結合

①　砲甲板部に上甲板部を重ねて、操作用の糸を整理します。砲甲板部に接着剤を塗って上甲板部を上から押さえて隙間がないように接着しますが、この時船体の前後の容器に接する部分には力が加わるので、船体の下を支えながら破損しないように注意深く作業します（**図6-6-3**）。

図6-6-3　砲甲板部・上甲板部の結合

②　バウスプリットを船首に差し込み、キールとの結束ロープに代わりのU字形の代替ロープを取り付けます。

③　アンカーの支柱が水平になるよう取り付け状態を整えて、支柱と直交する木製ストックの下側を接着剤で船体側面に固定します。続いて、アンカーロープを引いて長さを調整し、左右をバランスよく揃えてから底面のキール切り込み部分に接着剤を塗布してアンカーロープを固定します。乾燥後にロープの余長をカットします。

④　容器の開口部を上にして、操作用ステイを引いてマストを起こします。操作用ステイを容器にテープで止めて船体を開口部から吊り下げるように保持します。

（3）船底部の容器挿入と結合

①　船底部のキールと左右船体とラダーを結合し、**図6-6-4**のようにキールにガイド用の糸を付けた支持ピンを固定しておきます。

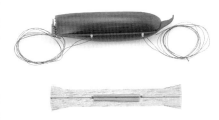

②　船底部を球状の容器に入れると、前方のキールと後方のラダーの2点で容器に接するため、安定に保持することができません。そこで船底部を保持する組み立て用の補助ベースを用意します。**図6-6-5**が補助ベースの形状で、加工が容易な3mm厚のバルサ材を用います。長さは船首と船尾をカバーできる100mmとし、ガラス球との接触面積が増えるように端部を円弧に削ります。船底部の支持ピンを挿入する2mmφの穴を2つあけ、船底部を安定に保持するために、キールを挟むように厚さ1mmの板を取り付けます。また、補助ベースは船底部に取り付けて容器に挿

図6-6-4　船底部と補助ベース

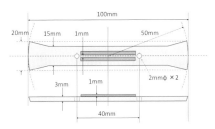

図6-6-5　補助ベースの形状

入するので、口径26mmに入れられるように端部以外は幅を細くします。

③　支持ピンの糸を二つの穴に通して補助ベースと船底部を組み合わせ、ガラス容器に入れます。**図6-6-6**のように開口部を上にして船底部を容器の底に移し、補助ベースで船底部を安定させます。砲甲板部、上甲板部を船底部に重ねて、上から綿棒の治具で押さえて船体を結合します。次の作業に備えて、操作用の糸が絡まないように整線し、容器にテープで留めておきます。

図6-6-6　船底部の結合

（4）上甲板部の組み立て

①　マストを固定するため対象のマストが開口部からアクセスできる位置になるように船体を回転して、**図6-6-7**のように先端に綿棒を付けた丸棒で上甲板を抑えて船

体を保持します。なお、マスト最上部の
フラッグは船体の回転を容易にするた
めに一旦取り外しておきます。

② フォア→メイン→ミズンの順でバック
ステイにたるみがなくマストが所定の傾
きになるように操作用ステイを引いて、
容器にテープで仮留めします。再度全
てのステイをピンと張られた状態に調整
し、マストの貫通穴の出口に接着剤を
塗布して全てのステイを固定します。

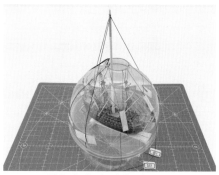

図6-6-7　上甲板部の組み立て

③ ステイの固定が完了したら、船尾
を開口部に向けてスターンギャラリーを
はめ込み、上甲板にボートを取り付けま
す（図6-6-8）。

④ トップステイ以外のステイの余長部
分を切断します。船体を回転して開口
部から眉用はさみでステイを切ります。
トップステイはこの後も船体を回転する
時に利用するので、後で切断します。

図6-6-8　スターンギャラリーの取り付け

⑤ ヤードを固定します。前から見て
ヤードが水平になるように傾きを直してリ
フトをクロスツリーに接着します。次に上
から見てヤードが前後方向に対して直
角になるよう中央部を接着剤でマストに
固定します。角度が直角でない場合は
治具で角度を矯正して接着剤が固まる
まで保持します（図6-6-9）。

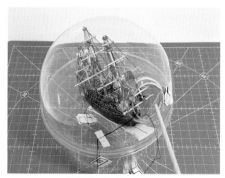

図6-6-9　ヤードの固定

(5) ベースの挿入と船体の固定
① 船体を回転し、船底を開口部に向けて支持ピンのガイド糸で船体を釣りさげます。
補助ベースを鈎針で保持してマストに力が加わらないように注意して支持ピンを押す

と、船体が補助ベースから外れます（**図6-6-10**）。

② 補助ベースを取り出してガイド糸に
ペデスタルに通し、キールの支持ピン位
置まで誘導してキールに接着します。ガ
イド糸は後で引き抜くので、接着剤が付
かないように注意します。

　図6-6-11のようにネームプレート
を貼ったベースカバーとベースにガイド
糸を通します。まず、ベースカバーを軽
く丸めて容器に挿入し、続いて上面に
テープを貼って二つ折りにしたベースを
挿入します。

③ ベースの分割面に接着剤を塗っ
て容器に押し付け、円板状に固定しま
す。接着剤が硬まったら上面のテープ
をはがします（**図6-6-12**）。

④ ガイド糸を引きながらペデスタルと
ベースカバー、ベースの穴の位置を合
わせます。穴がずれないように片方の
ガイド糸を抜き、M2ネジを入れてペデス
タルとベースを結合します。もう一方も
同様に結合して、船体をベースに固定
します。

図6-6-10　ベース挿入準備

図6-6-11　ベースカバーとベース

図6-6-12　ベースの結合

⑤　**図6-6-13**がベースの固定方
法と、そのためのパーツです。中央に
M3ネジを固定した楕円形の板を接着
してベースの穴をふさぎ、このネジに開
口部から円柱状の栓をねじ込んで、容
器の封止とともにベースを容器に固定し
ます。

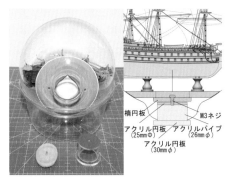

アクリル円板（25mmφ）　アクリルパイプ（26mmφ）
アクリル円板（30mmφ）
楕円板　M3ネジ

図6-6-13　ベースの固定

⑥　栓は直径25mmのアクリルパイプ
を切断して、上に25mmφ、下に30m
mφのアクリル円板を接着します。上の
円板の中央にM3のネジを切っておきます。アクリルパイプはちょうどよい長さにする必
要があるので、現物合わせで長さを決めます。なお、封止栓の取り付けは仕上げの最
後に行います。

(6)　仕上げ
①　取り外しておいたマストのフラッグ
を取り付けます。また船尾フラッグは後
方に展開するスペースがあまりないの
で、垂れ下がる形状になるように折り癖
をつけて船尾に取り付けます（**図6-6
-14**）。

図6-6-14　フラッグ取り付け

②　容器内のごみをエアーダスターで
排出し、内面の汚れを綿棒で拭き取り
ます。

③　最後にヤードの傾きを整えてから、
残しておいたトップヤードの操作用ステ
イを切断します。

④　フラッグやヤードが曲がらないように
慎重に船体を回して開口部を下にして、
ベースを固定位置に移動します。封止用
の栓をベースに取り付けてベースと容器

図6-6-15　組み立て完成

を結合し、最終組み立て完了です(**図6-6-15**)。

　図6-6-16はボトルシップのディスプレイ例です。

　皆さんは、それぞれのアイデアを凝らして飾り付けていただければ幸いです。

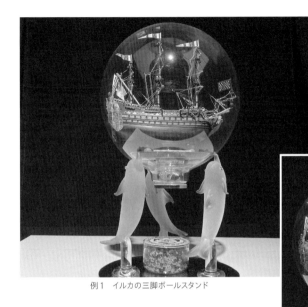

例1　イルカの三脚ボールスタンド

例3　金属容器のスタンド

例2　流木のスタンド

図6-6-16　ボトルシップのディスプレイ例

おわりに

　日本の船舶模型と言えばWWI、WWIIの艦船が主流です。考えてみれば世界的に有名な帆船も戦争のために建造されたものが多いのですが、日本は海洋国家でありながら帆船での大航海や海戦などの歴史的な体験がないために、今一つ帆船が身近なものになっていないのかもしれません。しかし生々しい歴史体験がないが故に、素直にそのフォルムを美しいと感じ、大海原を航海したであろう雄姿を想像して、往時の帆船に魅了されてしまいます。

　本書「電球でつくるボトルシップ」では有名な二つの帆船の製作方法を詳解させていただきましたが、作ってみたいと思っていただけたでしょうか。ガラス瓶ではなく電球でつくるボトルシップの最大のメリットは全方位から美しい帆船の姿を鑑賞できることにあります。是非皆さんもチャレンジしてみては如何ですか。

My Home Page

付　　録

【付録1】 フォトエッチングによるエッチングパーツの作り方

　　WWⅡの艦船模型などでは、ディテールアップ用としてフォトエッチングで作られた精密なエッチングパーツが市販されていますが、ボトルシップのスターンギャラリーや船体の装飾に利用できるものは少ないです。そこで、市販品ほどの精密さはないものの、自由な造形ができるエッチングパーツの自作方法を紹介します。

（1）フォトエッチングとは

　　エッチングは腐食作用を利用した表面加工の技法です。ポピュラーな方法は、エッチング液に銅板を浸けてマスキングしていない部分を溶かすもので、電子回路のプリント基板や銅版画などの製作に用いられています。エッチング液で銅板を溶かすことは簡単ですが、問題はマスキングで、特に精密なパーツを作るためには精密なマスキングが必要になります。このために広く用いられているのがフォトエッチングで、感光剤を塗った銅板にマスクパターンを印刷したフィルムを乗せ、紫外線を照射して現像することでマスクパターンを銅板に転写し、エッチングする方法です。

（2）フォトエッチングの工程

　　フォトエッチングは一見素人が行うのは難しそうに見えますが、誰でも入手できる材料

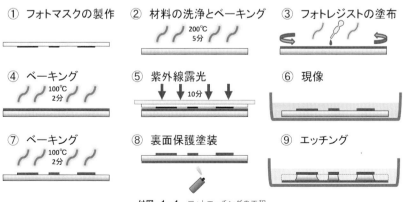

付図-1-1　フォトエッチングの工程

と機材で行うことができます。**付図−1−1**がエッチングパーツを作るためのフォトエッチングの工程で、ステップごとに必要な材料と機材、および作業内容を説明します。

① フォトマスクの製作
【材料と機材】
• パソコン（マスクパターン作画とプリント）
• インクジェットプリンタ（黒色染料系インク印刷）
• 感光基板アートワーク用インクジェットフィルムまたはOHP用インクジェットフィルム

【作業内容】
　パソコンでフォトマスクを作成します。感光剤にポジ型フォトレジストを使うので、紫外線を当てた部分のレジストが除去され、当てなかった部分はマスクとして残ります。従って、フォトマスクは透明フィルムにエッチングで残す部分を黒色で印刷して作ります。
　ボトルシップ用のエッチングパーツの大きさは、取り扱いが容易な5cm角の正方形にします。**付図−1−2**がソレイユ・ロワイヤル号のスターンギャラリーと装飾パーツのマスクパターンですが、フォトマスクは作画ソフト（Photoshopなど）で作る必要があります。

付図−1−2　ソレイユ・ロワイヤル号のマスクパターン

　フォトマスク製作の留意点を以下にまとめます。
• フォトマスクは白黒の二階調で作画します。作画ソフトで図案を作る際は、ハーフトーンの部分が生じないようにアンチエイリアスを無効にします。また画像のフォーマットもJPEG形式ではなく、画質の劣化がないBMP形式で保存します。
• マスクパターンは最低でも幅0.2mm以上が必要です。これは、エッチングで厚さ

0.1mmの板を表面から溶かす時、同時にマスク下の横方向も同程度に溶かしてしまうからです。また周囲の幅5mm程の領域は感光剤の塗布が不均一になるので、マスクパターンは内側の4cm角の範囲に収めます。

・真鍮板の溶かす量をなるべく最小限にすることと、全体が同時に仕上がるようにするため、マスクパターンの周囲だけを同じ幅で白抜きにします。図の例では、白抜きは細かいパターンの部分が0.2mm幅、大きなくり抜き部分が0.4mm幅です。

・フォトレジストの露光の際に、フォトマスクは印刷面がレジストに密着するように裏返して重ねますが、マスクパターンの印刷はパターンが左右対称でない場合でも左右を反転せずにそのまま印刷します。これは、完成したエッチングパーツはレジスト面ではなく裏面を表にするからです。

・インクジェットプリンタで印刷する場合、透明フィルムは市販の感光基板アートワーク用インクジェットフィルムまたはOHP用インクジェットフィルムを使います。黒色部分が極力光を通さないようにするには、プリンタの印刷品質を最高に設定して、黒色染料系インクで印刷します。印刷したフィルムは、光に透かして黒く一様になっていることを確認します。

② 　材料の洗浄とベーキング

【材料と機材】

・金属板0.1mm厚（銅、真鍮、白銅）
・細目サンドペーパー（2000番以上）または鏡面仕上げ用液体コンパウンド
・中性洗剤
・エアーダスター
・オーブントースター

【作業内容】

　金属板はゴールドの輝きに近い真鍮板（0.1mm厚）を使います。表面がきれいな部分を5cm角に切り取って、フォトレジストの密着性を高めるために表面の洗浄とベーキングを行います。

・脱脂・脱錆のために、真鍮板表面を細目サンドペーパーまたは液体コンパウンドで磨いて、中性洗剤で洗い、表面の水滴をエアーダスターで吹き飛ばします。

・さらに表面の不純物を飛ばすため、オーブントースターで200℃5分間ベーキングし、表面を触らないようにして、すぐにフォトレジストの塗布を行います。

③　フォトレジストの塗布
【材料と機材】
• ポジ型フォトレジスト（冨士薬品工業　FPPR-200）
• モーター（スピンコーター用）
• ヘアドライヤー

【作業内容】
　フォトレジストのコーティングが、フォトエッチングの仕上がりを左右します。レジストには冨士薬品工業のポジ型フォトレジストFPPR-200を使用しますが、500mlボトルで購入することができます。濃い緑の液体で、紫外線での感光なので、コーティング作業は通常の照明のもとでできます。

　レジストを薄く均一にコーティングするには、スピンコーターが最適です。名前の通り、回転させて遠心力でコーティングする原理ですが、**付図－1－3**のように直流モーターにスーパーで果物を入れて売っている透明容器を取り付けただけのもので十分機能を果たせます。付図では直流電源装置でモーターを駆動していますが、電池でも駆動でき、直列個数でスピードも調整できます。

付図－1－3　スピンコーター

　スピンコーターでのコーティングは次のように行います。
• モーターの軸に両面テープで真鍮板の中央を固定します。両面テープの接着力が強いと真鍮板を取り外す時に板が曲がってしまうので、回転で外れない程度の接着力で固定し、モーターを回転して真鍮板がバランスよく回ることを確かめます。
• モーターを止めた状態で、真鍮板にスポイトでレジスト液が自然に全体に広がる程度に落とします。なお、水分があるとレジスト液に澱（おり）ができてしまうので、スポイトはレジスト液専用にします。気泡やゴミがあったら綿棒などで取り除き、ほこりが入らないようにカバーをして、レジスト液の粘度を少し上げるために10分ほど放置します。
• モーターを回転させ、レジスト液を均一に広げます。回転スピードは電圧で調節しますが、目で回転が追える程度のスピードでよく、早すぎるとレジスト層が薄くなりすぎます。適度なスピードで回転させると、真鍮板の周囲5mmほどはレジスト液が溜まって濃い茶色になりますが、周辺部以外は黄褐色に輝く均一なレジスト層ができます。
• 回転を継続したまま、ドライヤーで優しく熱風を送ってレジスト液を乾燥させます。

④ ベーキング

スピンコーターから真鍮板を曲げないように外して、オーブントースターで100℃、2分間のプリベークを行います。

⑤ 紫外線露光
【材料と機材】
• ネイルアート用 UV ライト
• ガラス板

【作業内容】
フォトレジストの露光には紫外線を照射しますが、最近はネイルアートのレジン液を固めるためのUVライトが安価で入手できるので、これを使います。

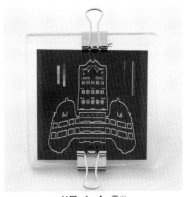

付図-1-4 露光

• 透明シートの厚みで紫外線が拡散するので、フォトマスクは印刷面を真鍮板のレジストに密着させて重ねます。ガラス板で挟んで隙間が生じないようにクリップで留めます。
• UVライトの中に入れて紫外線を照射します。照射時間はフォトレジストの厚みとUVライトの強度の兼ね合いで決まりますが、露光では見た目の変化がないので、現像してみないと成否がわかりません。試行錯誤が必要ですが、概ね10分程度照射したほうが良い結果が得られると思います。

⑥ 現像
【材料と機材】
• ポジ型フォトレジスト現像液（冨士薬品工業　FPPR－D）

【作業内容】
現像液は冨士薬品工業のFPPR-D（水酸化ナトリウム溶液）で、推奨は原液を水で5倍希釈した常温の溶液に浸けて1～2分で現像とあります。実際には溶液の濃度が濃いと、アッという間にレジストがすべて融けてしまうので、まずは薄めの濃度の溶液に浸けて様子を見ます。変化がなければ原液を少し加えて濃度を高めて、しばらく様子を見る作業を焦らずに繰り返します。どこかの時点で、露光した部分のレジストが溶け始めて真鍮色が現れるので、マスクパターン全体が確認できたら現像終了です。

⑦　ベーキング

　現像が終了した真鍮板を水で洗浄した後、再びオーブントースターで100℃、2分間のプリベークを行い、真鍮板へのレジストの密着度を高めます。

⑧　裏面保護塗装
【材料と機材】
• ラッカースプレー（黒）　またはマジック

【作業内容】
　エッチング液から真鍮板の裏面を保護するために、裏面にラッカースプレーを塗布します。エッチングが裏面まで到達したことが分かりやすいので、色は黒色にします。

⑨　エッチング
【材料と機材】
• エッチング液（塩化第二鉄溶液）
• 廃液処理剤（消石灰）

【作業内容】
　真鍮板が入るプラスチック容器に数ミリの深さでエッチング液を入れて、真鍮板を投入します。時々エッチング液を静かに動かして様子を見ます。反応が遅い場合はプラスチック容器全体を湯煎します。裏面の黒い保護塗装が見えてマスクパターンが確認できたらエッチング終了ですが、長時間エッチングを続けていたり、レジストの密着度が低いとレジストが剥離してくるので注意が必要です。

　エッチングが終わったら水で十分に洗浄し、シンナーに浸けて裏面の保護塗装を取り除きます。レジスト面は周囲がエッチングで変色しているので、真鍮色がきれいな保護塗装面側がエッチングパーツの表になります。

【付録2】 参考文献

(1) 書籍

帆船構造の解説書

The Masting and Rigging of English Ships of War 1625-1860	James Lees Naval Institute Press
The Construction and Fitting of the English Man of War 1650-1850	Peter Goodwin Naval Institute Press
The Arming and Fitting of English Ships of War 1600-1815	Brian Lavery CONWAY
Eighteenth-century Rigs & Rigging	Karl Heinz Marquardt Conway Maritime Press
Anatomy of the Ship Series 　(The Ship of Christopher Columbus　他)	Conway Maritime Press

帆船模型の解説書

帆船ガイドブック	今井科学 監修／海文堂
帆船模型 −製作テクニック−	草野和郎／海文堂
帆船模型製作技法	白井一信／復刊ドットコム
ボトルシップ −作り方・楽しみ方−	橋本進／海文堂
ボトルシップの秘密	岡田重三／海文堂
Ship Modeling from Stem to Stern	Milton Roth McGraw-Hill
The Ship Model Builder's Assistant	Charles G.Davis Dover Publications

その他参考資料

Modellismo navale di qualita(COREL のカタログ)	COREL
Historic Sail: The Glory of the Sailing Ship from the 13th to the 19th Century	Stephen Howarth, Joseph Wheatley Greenhill Books
ビジュアルディクショナリー 3　船と航海	同朋舎出版
船の百科事典 −紀元前5000年から現代まで−	トニー・ギボンズ 東洋書林
結び　KNOTS	帆船日本丸記念財団

（2）Web サイト

manufacturers

AMATI	https://www.amatimodel.com/
Billing　Boats	https://www.billingboats.com/
Corel	http://www.corel-srl.it/
Heller	https://www.heller.fr/en/category/shipping
帆船模型のマイクロクラフト	https://www.microcraftworld.com/

making

ザ・ロープ	https://www.theropetokyo.org/
横浜帆船模型同好会	http://ysmc.la.coocan.jp/
DENS MODEL SHIPS	http://www.densmodelships.com/
Model Shipyard	https://www.stephensandkenau.com/
Historic Ship Models	https://www.finemodelships.com/
Model Ship World	https://modelshipworld.com/

plans

Free Plans of Model Ship	http://www.shipmodell.com/index_files/SHIPMODELL_PLAN.html
Quinze marins sur le bahut du mort	https://15marins.blogspot.com/2009/11/plan-santa-maria.html
Model Sailing Ship and Boat Plans	http://www.john-tom.com/SailBoatPlans/SailBoatPlans.html

information

50 of the Best Model Ship Building Sites	http://www.modelshipbuildingsecrets.com/resources.html
Complete list of Sailing Vessels	http://www.thepirateking.com/ships/ship_types.htm
Japanese-English Ocean Dictionary	http://www.oceandictionary.jp/jjee/je-abc/jea.html

(3) 世界の実船の展示

【現存船】

■ 太陽の船：クフ王の船
　　……エジプト・ギザ「太陽の船博物館」
■ オーセベリ船：墳丘墓から発掘されたバイキング船
　　……ノルウェー・オスロ「バイキング船博物館」
■ バタビア号：オランダ東インド会社船
　　……オーストラリア・フリーマントル「難破船博物館」
■ ヴァーサ号：スウェーデンの軍艦
　　……スウェーデン・ストックホルム「ヴァーサ号博物館」
■ HMSビクトリー号：英国海軍の1等戦列艦、ネルソン提督旗艦
　　……英国・ポーツマス「ポーツマスドライドッグ」
■ カティーサーク号：英国のティークリッパー
　　……英国・ロンドン・グリニッジ「国立海洋博物館」
■ USS Constitution 号：米国の巡洋戦艦、現役海軍船
　　……米国・ボストン「USS Constitution museum」
■ 日本丸（初代）：航海練習船
　　……神奈川県横浜「日本丸メモリアルパーク」
■ 海王丸（初代）：航海練習船
　　……富山県射水「海王丸パーク」

【復元船】

■ ゴールデン・ハインド号
　　……英国・ロンドン・サザーク「セント・メリー・オーバーリー・ドック」
■ フロール・デ・ラマール丸：ポルトガルの交易船
　　……マレーシア・マラッカ「マラッカ海洋博物館」
■ アムステルダム号：オランダ東インド会社船
　　……オランダ・アムステルダム「国立海洋博物館」
■ バタビア号：オランダ東インド会社船
　　……オランダ・アムステルダム「国立海洋史センター」
■ サン・ファン・バウティスタ号：慶長遣欧使節船
　　……宮城県石巻「宮城県慶長使節船ミュージアム」

索引

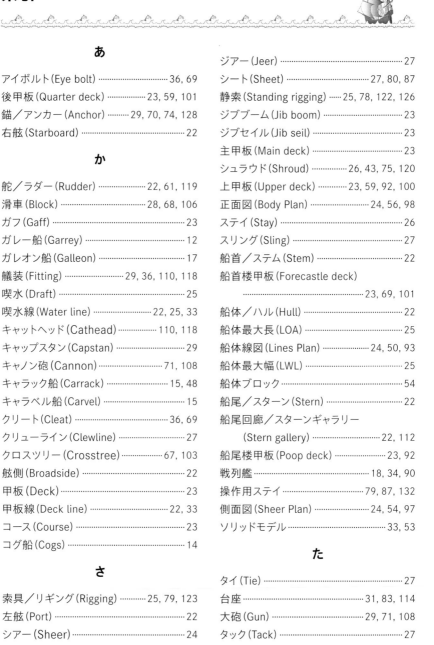

著者紹介

　「趣味は何ですか？」と聞かれると、「モノづくり」と答えています。小さなころよりいつも何かを作っている日々でした。ボトルシップを初めて作ったのは1994年で、一人で趣味として楽しんできましたが、本の形にまとめることが出来て一区切り付いた気がします。現在は八ヶ岳のふもとで山と星を見ながら、自分が興味を惹かれたものを極力自力で作ることに喜びを感じています。

著者　横山孝幸

材料・工具・治具・製作方法を完全詳解
電球でつくる　ボトルシップ

2022年12月12日　発　行	NDC507.9

著　　者	横山孝幸	
発 行 者	小川雄一	
発 行 所	株式会社 誠文堂新光社	
	〒113-0033 東京都文京区本郷3-3-11	
	電話 03-5800-5780	
	https://www.seibundo-shinkosha.net/	
印 刷 所	広研印刷 株式会社	
製 本 所	和光堂 株式会社	

©Takayuki Yokoyama. 2022　　　　　　　　　　　　　　Printed in Japan